난징함락과 대학살

난징대학살을 불러온 결정적 장면

4

난징함락과 대학살

난징대학살을 불러온 결정적 장면

4

원저자 **저우얼푸**
그 림 **주전경**
각 색 **황뤄구**
번 역 **김숙향**

난징함락과 대학살 4

난징대학살을 불러온 결정적 장면

초판인쇄 2015년 8월 14일
초판발행 2015년 8월 14일

원저자 저우얼푸(周而复)
그 림 주전겅(朱振庚)
각 색 황뤄구(黃若谷)
번 역 김숙향
펴낸이 채종준
진 행 박능원
기 획 지성영 · 조가연
편 집 백혜림
디자인 조은아
마케팅 황영주 · 한의영

펴낸곳 한국학술정보(주)
주소 경기도 파주시 회동길 230(문발동)
전화 031 908 3181(대표)
팩스 031 908 3189
홈페이지 http://ebook.kstudy.com
E-mail 출판사업부 publish@kstudy.com
등록 제일산-115호 2000. 6. 19

ISBN 978-89-268-7042-6 04910
        978-89-268-7034-1 (전4권)

1937년 7월 7일, 일본군은 중국을 침략해 루거우차오(蘆溝橋)에서 '7.7 사변'을 일으켰다.

日本軍将兵に感謝決議する第71議会
（7月27日来議院本会議）

1937년 7월 27일, 일본군은 제71차 의회에서 중국 침략전쟁에 감사하는 결의를 통과시켰다.

(좌) 1937년 10월, 전쟁의 열기에 빠진 일본 국방부인회의 행렬
(우) 1937년 11월 16일, 도쿄(東京) 아사쿠사(浅草) 거리

1937년 11월 6일, 독일, 이탈리아, 일본은 방공(防共) 협정을 체결한다. 가운데는 이탈리아 무솔리니(Mussolini) 수상, 왼쪽은 일본대사 호리타(堀田), 오른쪽은 독일대사 요아힘 폰 리벤트로프(Joachim von Ribbentrop)이다.

일본 전투기가 상하이(上海)에 폭탄을 투하해 큰불이 났다.

1937년 8월 23일, 일본군이 상하이에서 중국군 포로를 묶어 도살할 준비를 하고 있다. 사진에 일본군이 '허가하지 않음'이라고 새긴 네모난 도장이 찍혀 있다.

1937년 12월 3일, 일본군 제16사단 9연대는 철로를 따라 난징(南京)으로 향하고 있다.

(좌) 일본군이 배를 타고 난징으로 진격하고 있다.
(우) 1937년 11월 19일, 일본군은 쑤저우(蘇州)를 점령하여 중국인을 마구 죽이고 약탈했다. 사진은 쑤저우의 어린아이가
     일본군에게 살해된 모습이다.

일본군에게 살해된 쑤저우 시민

1937년 12월 13일, 「동경조일신문(東京朝日新聞)」에 무카이 도시아키(向井敏明)와 노다 쓰요시(野田毅)가 난징으로 진격 중 목 베기 시합을 했다는 기사가 실렸다. 난징을 점령했을 때 먼저 백 명의 목을 벤 자가 승리하는 시합으로 쥐롱(句容)에서 탕산(湯山)까지 두 사람은 각각 89명과 77명을 죽였고 쯔진 산 아래에 도착했을 땐 106명과 105명을 죽였다. 누가 먼저 백

난징 총독부 함락 실제 모습. 'Burning of Chapei 27 Oct.1937'이라는 영문 서명은 일본군이 중국을 침략했다는 증거로 70년 넘게 보존된 귀중한 자료이다.

일본군이 불태운 난징 거리

일본 전투기의 폭격을 맞은 뒤 번화했던 난징 시내는 폐허로 변해버렸다.

일본군이 중국군 포로를 찔러 죽이고 있다.

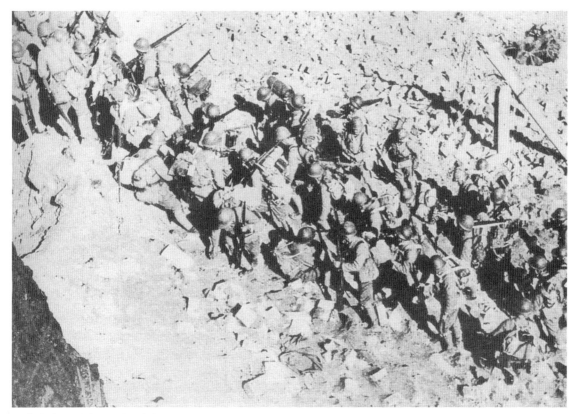

중산먼(中山門)을 오르는 일본군

1937년 12월 12일, 일본군이 중화먼을 공격했다.

일본군이 중화시먼(中華西門)을 함락했다.

1937년 12월 13일, 일본군이 난징 시내를 완전히 파괴했다.

1937년 12월 13일, 일본군이 난징 시내를 완전히 파괴했다.

일본군이 난징을 침략한 뒤 12월 17일에 입성식(入城式)을 거행했다. 사진은 사령관 마쓰이 이와네(松井石根)가 중산면에서 시내로 들어가는 모습이다.

행진하는 마쓰이 이와네(왼쪽 첫 번째), 아사카노미야 야스히코(朝香宮鳩彦王, 왼쪽 두 번째), 야나가와 헤이스케(柳川平助, 왼쪽 네 번째)

단상의 오른쪽부터 일본 육군 사령관 마쓰이 이와네, 상하이 파견군 사령관 아사카노미야 야스히코, 제10군 사령관 야나가와 헤이스케, 일본 해군 제3전함 사령관 하세가와 기요시(長谷川淸). 1937년 12월 17일 난징

오른쪽부터 아사카노미야 야스히코, 마쓰이 이와네, 하세가와 기요시. 1937년 12월 10일 난징

난징 국민당 정부를 점령한 일본군

중국군 포로를 집단학살하는 일본군

(좌) 일본군이 죽인 중국인의 시체가 도랑을 가득 채웠다.
(우) 일본군이 중국군을 칼로 죽이고 있다. 사진은 일본군이 전리품으로 지니고 다닌 것이다.

일본군은 포로로 잡은 중국군과 난민을 대상으로 검술 훈련을 했다. 사진은 1938년 7월 난징빙짠(南京兵站) 병원의 위생부장 사카모토 타키지(坂本多喜二)가 찍은 것이다.

일본군은 포로로 잡은 중국군과 난민을 대상으로 검술 훈련을 했다. 사진은 1938년 7월 난징빙짠 병원의 위생부장 사카모토 타키지가 찍은 것이다.

난징 교외 철조망에 걸어둔 중국인

자신들이 죽인 중국군 시체 앞에서 사진을 찍은 일본군

1937년 12월 12일, 난징을 차지한 뒤에도 일본군은 난징 링구스(靈穀寺)의 승려들을 도살했다.

일본군은 중국 군인과 난민을 칼로 베어 죽였다. 사진은 일본군이 전리품으로 지니고 다닌 것이다.

일본군은 중국 군인과 난민을 칼로 베어 죽였다. 사진은 일본군이 전리품으로 지니고 다닌 것이다.

일본군은 중국 군인과 난민을 칼로 베어 죽였다. 사진은 일본군이 전리품으로 지니고 다닌 것이다.

일본군은 중국 군인과 난민을 칼로 베어 죽였다. 사진은 일본군이 전리품으로 지니고 다닌 것이다.

일본군은 중국 군인과 난민을 칼로 베어 죽였다. 사진은 일본군이 전리품으로 지니고 다닌 것이다.

일본군은 중국 군인과 난민을 칼로 베어 죽였다. 사진은 일본군이 전리품으로 지니고 다닌 것이다.

흉도(凶刀)를 닦고 있는 일본군

중국 포로를 칼로 베려는 일본군

일본군에게 무고하게 총살당한 중국인

일본군에게 살해당한 중국인

일본군에게 살해당한 중국인

일본군에게 살해당한 중국인

중국인을 생매장하는 일본군

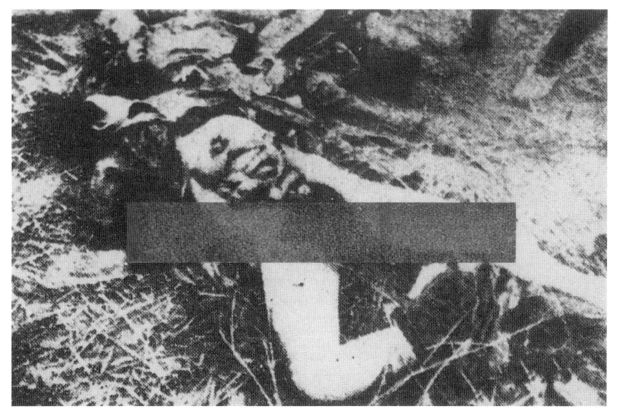

일본군에게 윤간당한 뒤 배가 갈려 죽은 여성

일본군이 태워 죽인 난징 시민

(좌) 난징의 한 노인이 죽은 아이를 안고 있는 모습
(우) 난징에서 총살당한 3세 아이

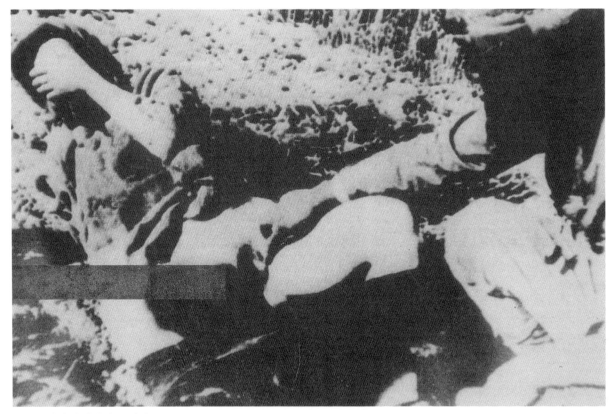

일본군에게 강간당하는 여성

일본군에게 강간과 모욕을 당한 여성

(좌) 일본군에 강간당한 뒤 하반신 나체사진을 강요받은 여성
(우) 일본군에 강간당한 뒤 나체사진을 강요받은 여성

일본군에 강간당한 뒤 나체사진을 강요받은 여성

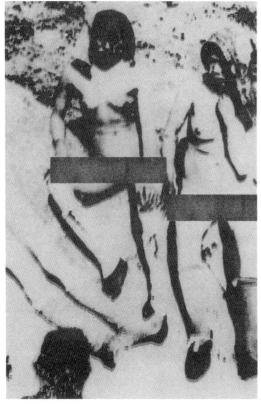

일본군에 강간당한 뒤 나체사진을 강요받은 여성

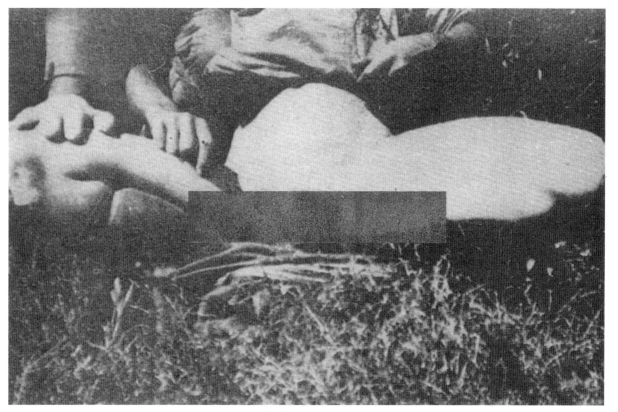

여성을 강간한 뒤 강제로 나체사진을 찍었다. 뒤에는 한 일본군이 계속 여성의 허벅지를 누르고 있다.

1937년 12월 15일, 난징을 점령한 일본군이 재물을 강탈하고 있다.

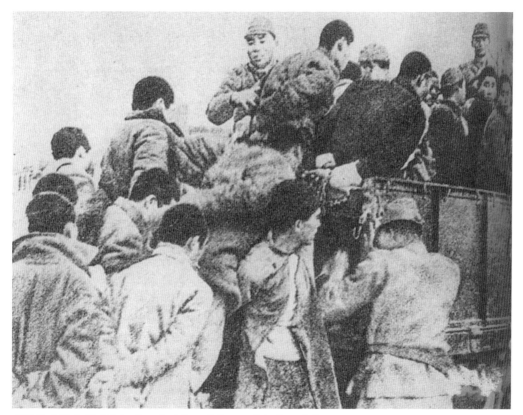

일본군이 중국 청년들을 버스에 태워 도살장으로 압송하고 있다.

난징함락과 대학살 4 · 60

일본군이 무장해제한 중국군을 한중먼(漢中門) 밖 단체 도살장으로 압송하고 있다.

1937년 12월 17일, 일본 해군이 시아관(下關)에 상륙하여 이쟝먼(挹江門)에서 난징으로 들어가고 있다.

무라세 모리야스(村瀬守安)가 촬영한 시아관의 불탄 시체

(좌) 무라세 모리야스가 촬영한 시아관 강변에 쌓인 시체
(우) 무라세 모리야스가 촬영한 시아관 강변. 일본군이 중국인을 도살한 뒤 시체에 기름을 부어 태우는 광경

무라세 모리야스가 촬영한 시아관 강변의 산처럼 쌓인 시체

(좌) 무라세 모리야스가 찍은 사진으로 양쯔 강(揚子江)에서 일본 공병대가 시체를 강물에 빠트리고 있다. 강물이 흐르는 방향대로 작업하는 장면이다.

(우) 1938년 1월 상순, 이데 준지(井手潤二)가 찍은 사진으로 일본 공병대가 배 위에서 장대로 물이 얕은 곳의 시체를 강물에

1938년 1월 상순, 이데 준지가 찍은 사진으로 철도 잔교 부근의 도살 현장이다.

일본군이 불태운 난징 시민

일본군이 중국군 포로를 칼로 찔러 죽였다.

일본군이 중국군 포로를 칼로 찔러 죽였다.

(좌) 많은 일본군이 중국 포로를 죽이는 광경을 즐기고 있다.
(우) 일본군이 죽인 중국군의 시체가 산처럼 쌓였다.

중국군 포로를 칼로 죽이는 일본군

여성을 희롱하고 있는 일본군

일본군이 청년을 묶어 죽일 준비를 하고 있다.

일본군이 무장해제한 중국군을 양쯔 강 근처 집단 도살장으로 압송하고 있다.

일본군이 무장해제한 중국군을 양쯔 강 근처 집단 도살장으로 압송하고 있다.

중국인을 도살하는 일본군

중국인을 도살하는 일본군

중국인을 도살하는 일본군

중국인을 도살하는 일본군

중국인을 도살하는 일본군

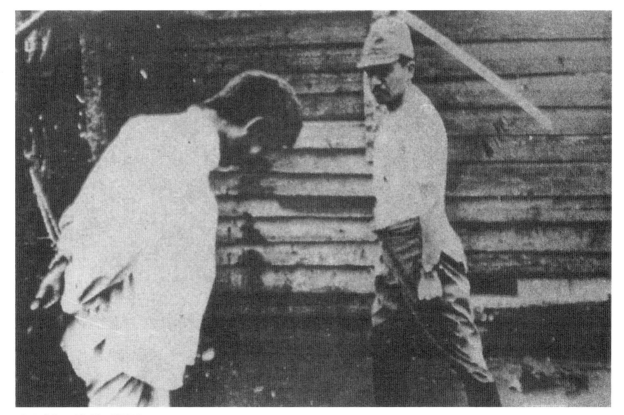

중국인을 도살하는 일본군

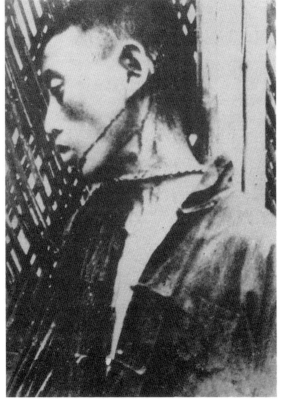 

중국인을 도살하는 일본군

중국인을 도살하는 일본군

중국인을 도살하는 일본군

승려를 총살하려는 일본군

중국인에게 칼을 씌운 일본군

일본인이 살해한 중국인의 시체가 길가에 널려 있다.

(좌) 난징 성벽 참호에서 일본군에게 살해당한 중국인
(우) 도탄에 빠진 난징 시민

난징 거리에 일본군이 도살한 중국인의 시체가 남아 있다.

일본군에게 살해당한 중국인이 거리에서 죽은 모습

일본군에게 살해당한 중국인이 거리에서 죽은 모습

일본군에게 살해당한 중국인이 거리에서 죽은 모습

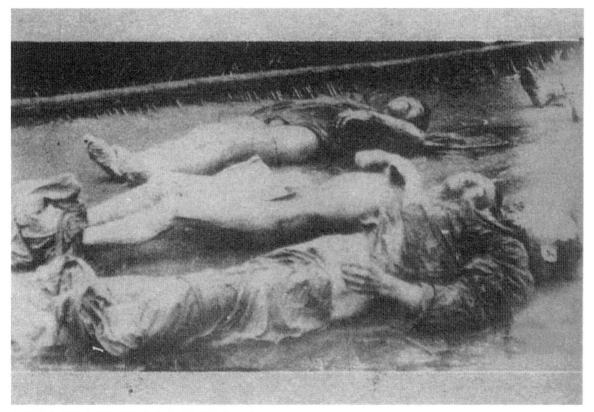

일본군에게 살해당한 중국인이 거리에서 죽은 모습

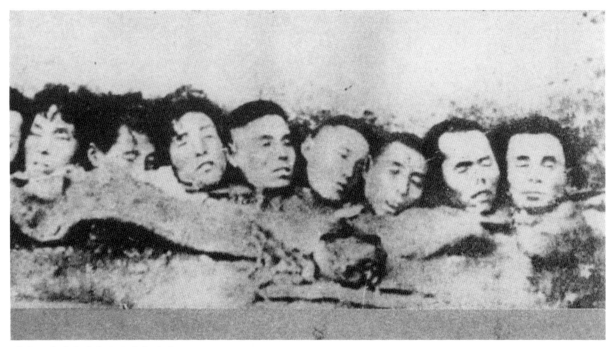

일본군이 잘라버린 중국인의 머리

아기를 안고 일본인에게 무참히 살해된 남편을 보며 슬퍼하는 여성. 아기 역시 큰 소리로 울고 있다.

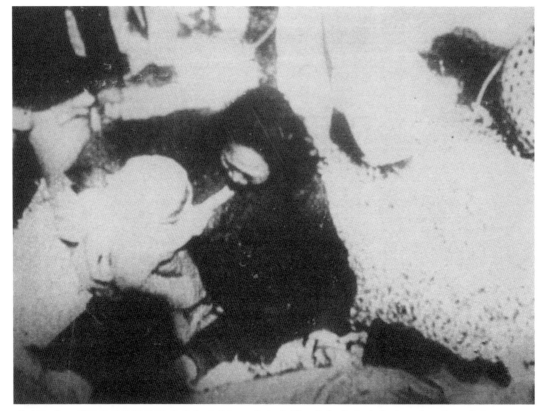

아기를 안고 일본인에게 무참히 살해된 남편을 보며 슬퍼하는 여성. 아기 역시 큰 소리로 울고 있다.

일본군에게 살해당한 남편의 시체를 끌어안은 아내

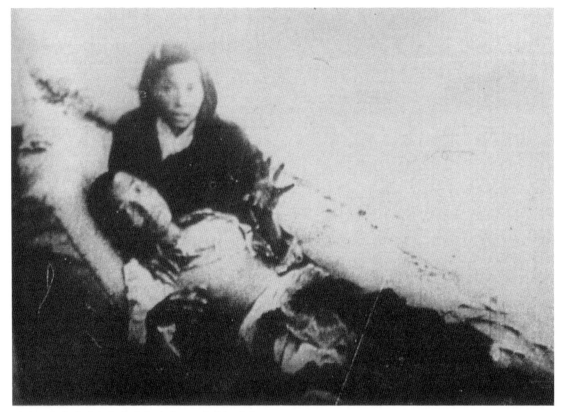

일본군에게 살해당한 남편의 시체를 끌어안은 아내

18세의 젊은 여성은 일본군에게 28일간 겁탈당했다. 매일 10~20차례 강간을 당했고 성병에 걸린 뒤에야 풀려났다.

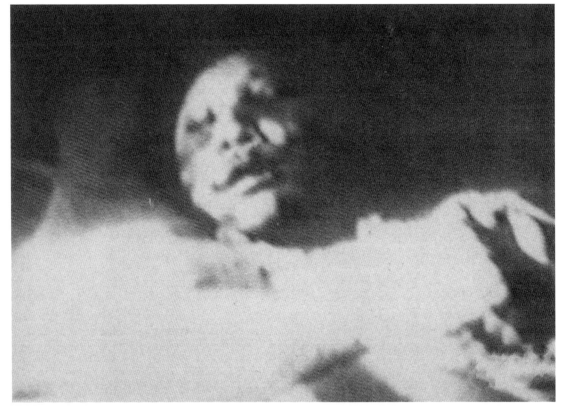

19세의 임신부 리시우잉(李秀英)은 일본군에 반항했다는 이유로 폭행을 당해 머리를 비롯해 온몸에 30곳이 넘는 자상을 입었다.

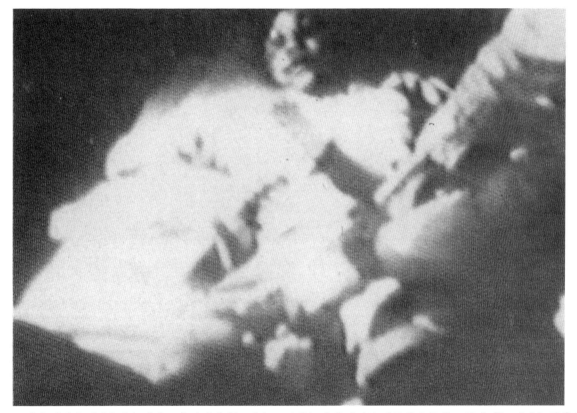

19세의 임신부 리시우잉은 일본군에 반항했다는 이유로 폭행을 당해 머리를 비롯해 온몸에 30곳이 넘는 자상을 입었다.

재난을 당한 난징

전쟁으로 짓밟힌 난징의 중산먼

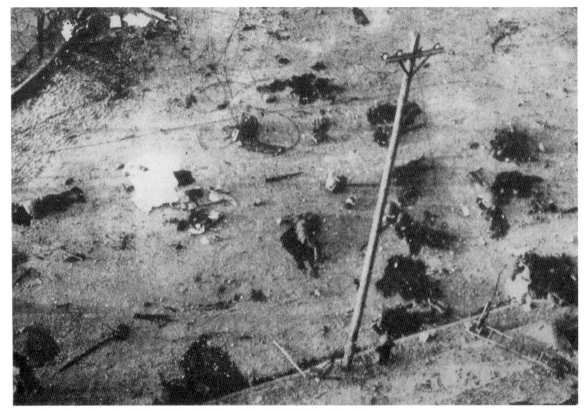

1937년 12월 13일, 남문 앞에 시체가 널려 있고 혈흔이 군데군데 남아 있다.

'피의 연못' — 이곳에는 두 팔이 묶인 채 일본군에 살해당한 중국인 시체가 3백이 넘는다.

1937년 12월 13일, 일본군이 난징을 함락시키자 일본거리에 전쟁 열기가 치솟았다.

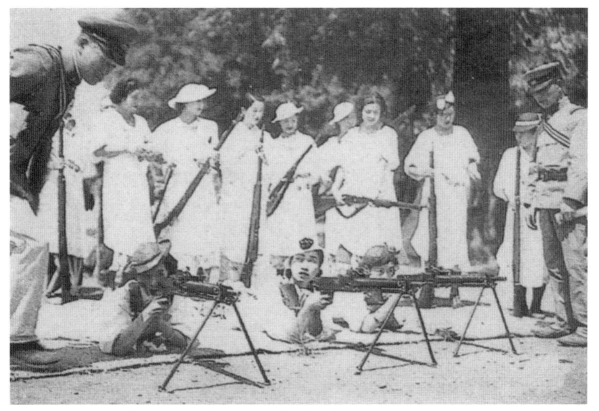

일본 다이에이(大映) 촬영소에서 여배우가 군사 훈련에 참관하고 있다.

1939년 부활절 월요일, Rev. A. B. 목사와 Ernest Forster 목사가 난징의 밍샤오링(明孝陵)에서 찍은 사진(담장에 일본인이 마구 낙서해놓은 흔적이 뚜렷하게 남아 있다)

두 소녀가 로우지아루(羅家路) 25호 대문에 서 있다. 담장에 난징 경비구역 사령관 탕셩즈(唐生智)가 반포한 공시가 붙어 있다.

난징 로우지아루 25호에 살던 텍사스(Texas) 주(州) 석유회사의 대표 한슨(Mr. Hansen)은 이렇게 말했다. "우리는 시아관에서 온 수많은 난민들에게 거주할 곳을 제공했고 그들을 최대한 책임지려고 노력했다."

난징이 일본군에게 점령당한 뒤 랑예루(琅琊路)에 사는 마기(Mr. Magee)는 난민들에게 머물 곳을 제공했다. 그는 일본 병사들이 난민을 더 폭행하지 않도록 거리에 서서 난민을 보호했다.

난징 로우지아루 25호에 살던 텍사스 주 석유회사의 대표 한슨은 이렇게 말했다. "우리는 시아관에서 온 수많은 난민들에게 거주할 곳을 제공했고 그들을 최대한 책임지려고 노력했다."

1945년 9월 2일, 일본은 동경 만(灣)에 정박한 미 해군 전함 미주리(Missouri)호에서 동맹국에 항복한다는 문서에 서명했다.

1945년 9월 9일 오전 9시, 난징의 중국육군총사령부 강당에서 일본의 항복문서 서명식이 열렸다.

법의학자가 위화타이(雨花台)에서 살해된 피해자의 시체를 검사하고 있다. 앞에서 왼쪽 세 번째가 재판장 스메이위(石美瑜)다.

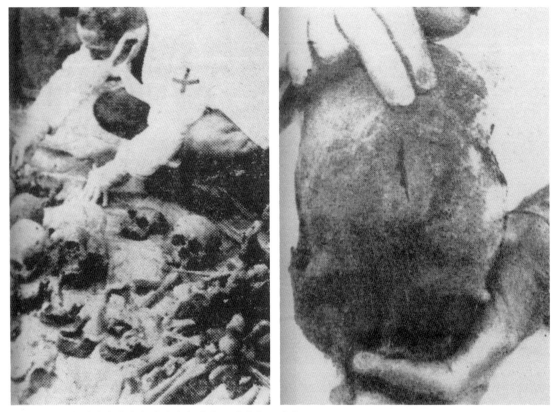

난징함락과 대학살 4 · 116

(좌) 검사관이 위화타이에서 피해자의 시체를 검사하고 있다.
(우) 위화타이에서 파낸 피해자의 두개골. 칼에 찔린 흔적이 분명하다.

중국 군사법정 재판장 스메이위와 일행이 난징 위화타이에서 피해자의 시체를 검사하고 있다.

난
징
합
라
파
대
학
살
4
·
118

진링(金陵)대학 미국인 교수 스미스(Smith)와 베이츠(Bates)가 중국 군사법정에서 증언을 하는 모습

중국 군사법정에서 난징대학살의 주범인 다니 히사오(穀壽夫)를 재판하고 있다.

1947년 4월 26일, 전범(戰犯) 다니 히사오가 위화타이 형장으로 압송되고 있다.

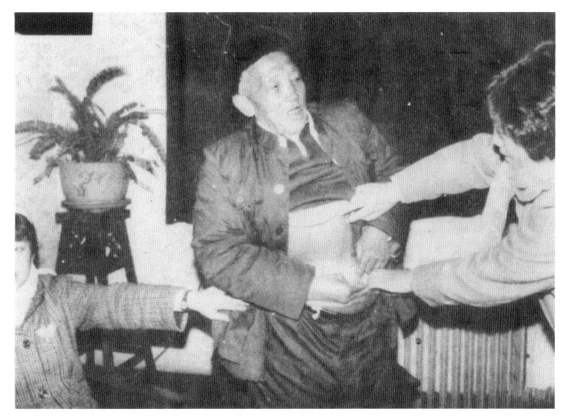

운 좋게 살아남은 샤꽌차오(沙官朝)가 일본군에게 찔린 상처를 보여주고 있다.

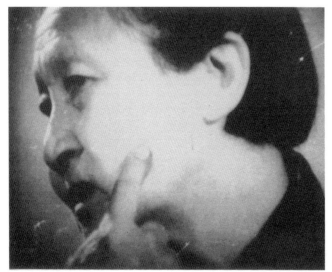
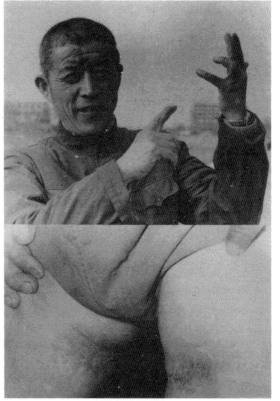

(좌) 일본군의 폭행을 호소하는 리시우잉(李秀英)
(우) 탄광 도살장에서 운 좋게 살아남은 천더꾸이(陳德貴)가 구사일생으로 살아남은 과정을 이야기하며 손가락과 다리의 총상 흔적을 보여주고 있다.

형장에서의 다니 히사오

전범 다니 히사오가 형장 앞에서 혼비백산한 모습

다니 히사오의 처형을 보기 위해 모인 난징 시민들

처형된 전범 다니 히사오

목 베기 시합을 벌인 두 전범을 일본으로부터 인도받았다. 무카이 도시아키(오른쪽 첫 번째), 노다 쓰요시(왼쪽 두 번째)

중국 군사법정에서 재판받는 전범 무카이 도시아키(왼쪽), 노다 쓰요시(중간), 다나카 군기치(田中軍吉, 오른쪽)

극동국제군사법정 — 일본 도쿄 이치가야(市ヶ谷)의 구(舊) 육군사관학교 건물

법정의 피고석(첫 번째 줄은 변호사, 두 번째 줄은 피고)

 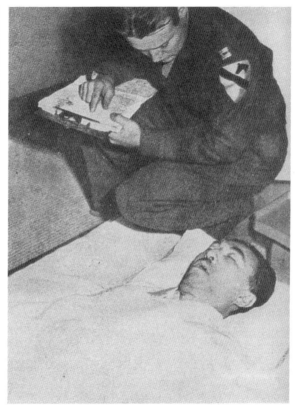

(좌) A급 전범 마쓰이 이와네
(우) 고노에 후미마로(近衛文麿)가 처벌이 두려워 독을 먹고 자살했다.

법정으로 들어서는 마쓰이 이와네

마쓰이 이와네(왼쪽 두 번째)가 미국 헌병에게 이끌려 법정에 들어서고 있다.

1975년 일본에서 간행된『후쿠치야마 연대(제16사단 21연대)의 역사』는 난징대학살의 죄행을 고의적으로 숨겼다.

(좌) 다나카 마사아키(田中正朗)가 쓴 『난징대학살의 허구』. 이 책은 마쓰이 이와네의 『진지에서의 일기』를 인용해
　　난징대학살의 존재를 부정했다.
(우) 난징대학살은 중국인이 퍼트린 거짓말이라고 공공연히 말하는 이시하라 신타로(石原慎太郎)

1984년, 후지와라 아키라(藤原彰) 교수를 단장으로 세운 난징대학살 실제조사단이 쟝둥먼(江東門) 만인갱(萬人坑)에서 피해자의 백골을 발굴하며 현지조사를 벌였다.

1984년, 후지와라 아키라 교수를 단장으로 세운 난징대학살 실제조사단이 쟝둥먼 만인갱에서 피해자의 백골을 발굴하며 현지 조사를 벌였다.

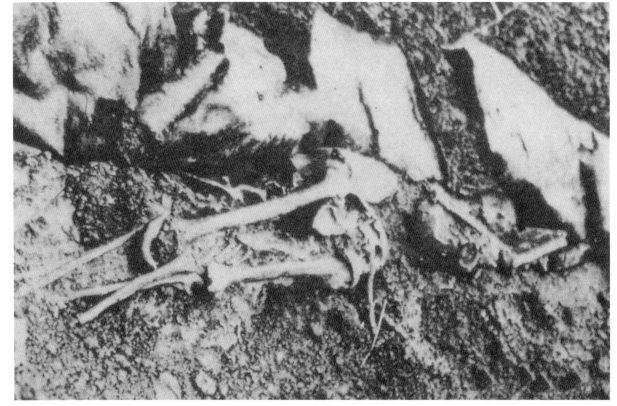

1984년, 후지와라 아키라 교수를 단장으로 세운 난징대학살 실제조사단이 장둥먼 만인갱에서 피해자의 백골을 발굴하며 현지 조사를 벌였다.

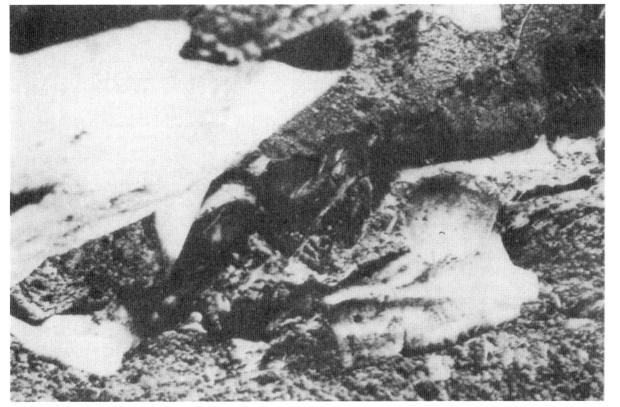

1984년, 후지와라 아키라 교수를 단장으로 세운 난징대학살 실제조사단이 쟝둥먼 만인갱에서 피해자의 백골을 발굴하며 현지 조사를 벌였다.

1985년 4월, 난징대학살기념관의 공사현장인 장둥면에서 발굴한 피해자의 시체

난징대학살기념관(1985년 8월 난징시 인민정부 설립)

난징대학살기념관(1985년 8월 난징시 인민정부 설립)

난징대학살기념관(1985년 8월 난징시 인민정부 설립)

난징대학살기념관(1985년 8월 난징시 인민정부 설립)

난징함락 회고록

존 라베(John Rabe)의 일기[1] (일부)

1937년 12월 17일

……우리 집 뒤 작은 골목에 위치한 어느 집에서 한 여성이 강간을 당한 뒤 목에 자상을 입은 채 발견되었다. 나는 구급차 한 대를 겨우 찾아 그녀를 구로우(鼓樓) 병원으로 데리고 갔다. 지금 우리 집에는 2백 명이 넘는 난민이 있다. 그들은 우리 유럽인을 마치 천지신명처럼 여긴다. 우리가 지나가면 땅바닥에 무릎을 꿇고 앉는데 사실 우리 자신도 이런 재난 앞에서 어떻게 해야 좋을지 모르겠다. 한 미국인이 이렇게 말했다.

---

1) 독일인 존 라베는 난징 국제안전구역의 책임을 맡았다. 그는 중국에서 30년간 살았는데 외국인 친구들과 25만 명의 난민을 보호해주었고 난징대학살의 참상을 직접 목격했다. 일본의 잔인함을 담은 『존 라베의 일기』(전8권)는 반세기가 넘은 오늘에서야 대중에게 공개되었다.

"안전구역은 일본군의 기방(妓房)이 돼버렸다."

정말 맞는 말이다. 어젯밤, 천 명이 넘는 여성들이 강간당했다. 진링여자서원에만 백 명이 넘는 여학생들이 피해를 입었다. 사람들은 계속해서 강간에 대한 이야기만 듣고 있다. 만약 그녀들의 남편이나 형제가 현장에 있었다면 총살당했을 것이다. 보고 듣는 건 모두 일본군의 잔혹함과 야만적인 행위뿐이다…….

1937년 12월 22일

……최근 공개적으로 불을 놓는 일이 계속되고 있다. 난 항상 불안하다. 중산루(中山路)에 놓은 큰불이 대로변 서쪽에 있는 우리 안전구역으로 옮겨붙을까 봐 말이다. 만일 이런 상황이 생긴다면 우리 집도 위험할 것이다. 오늘 안전구역을 청소하다가 연못에서 수많은 시체를 발견했다. 모두 총살당한 민간인이었다(한 연못에서는 심지어 30구나 나왔다). 시체는 대부분 두 손이 묶여 있었고 일부 시체의 목 주위에는 돌을 감아놓았다.

1937년 12월 24일

……(구로우 병원에서) 의사인 윌슨은 이를 기회로 몇 명의 환자를 보여주었다. 한 소녀는 얼굴 여러 곳에 칼에 찔린 상처가 있었다. 난산으로 병원에 실려왔는데 지금은 상태가 안정되었다. 작은 배의 주인은 아래턱에 총상을 입고 온몸에 화상을 입었다. 휘발유 불에 탔는데 한두 마디 정도 말할 수는 있었지만 오늘을 넘기기 어려워 보였다. 피

부의 3분의 2가 모두 탔기 때문이다. 나는 시체안치실에도 들어가 보았다. 시체를 늘어놓더니 모두 어젯밤에 들어왔다고 한다. 그 가운데 두 눈과 머리가 다 타버린 민간인도 있었다. 이 역시 일본군이 휘발유를 끼얹은 것이다. 한 소년의 시체에는 칼에 찔린 흔적이 네 군데 있었다. 그중 위장 주변의 상처는 손가락 길이가량으로 가장 길었다. 병원으로 이송되던 때 아이는 신음소리 한 번 내지 못하고 이틀 뒤에 죽었다고 한다. 지난주 나는 하도 많은 시체를 본 터라 이런 참혹한 광경을 봐도 정신을 차릴 수 있었다. 이런 상황에서 성탄절이라고 즐길 수 있겠는가? 그럼에도 나는 내 두 눈으로 이 참혹한 현장을 확인하고 싶었다. 그래야만 훗날 목격자로서 이런 일들을 증언할 수 있을 테니 말이다. 잔인한 행위들이 이 도시를 점령한 지 열흘이 지났다. 절대로 침묵해서는 안 된다.

　1937년 12월 28일

　……오늘 밤 우리가 여러 곳에서 받은 보고는 몸서리칠 정도로 끔찍해 글로 쓰기가 힘들다. 일본인이 난민들이 머물고 있는 몇몇 학교에서 등록 작업을 하기 전 난민 중에 섞여 있는 중국군을 색출한다고 했다. 일본군은 중국군을 노동대에 편입시키려 할 뿐이라며 보호를 약속했다. 난민 중에서 약 50명이 제 발로 걸어 나왔고 일본군은 곧바로 이들을 데려갔다. 그중 운 좋게 빠져나온 사람이 우리에게 한 이야기에 따르면, 이들은 어느 빈집으로 끌려가 지니고 있던 값나가는 물건은 빼앗기고 발가벗겨져 다섯 명씩 묶였다고 한다. 그다음 일본인이 정원에 불을 질렀고 한 조씩 끌고 나와 칼로 찌른 뒤 산 채로 불구덩이에 던졌다고 한다. 이 가운데 열 명이 묶인 밧줄을 풀고

담장을 넘어 군중 속으로 뛰어들어갔더니 사람들이 그들에게 입을 옷을 내주었다고 한다. 우리는 세 곳에서 이와 똑같은 이야기를 들었다. 또 다른 무리의 중국인은 그 수가 더 많았는데 서쪽의 묘지에서 칼에 찔려 사망했다고 한다.

1938년 1월 7일

……리그즈 씨가 오늘 시찰한 내용을 이렇게 보고했다.

"한 여인이 멍한 눈으로 거리를 헤매고 있었다. 누군가 그녀를 병원에 데려가 사정을 물으니 열여덟 식구 중 유일하게 살아남았다는 것이다. 그녀의 가족들은 총살당했거나 칼에 찔려 죽었다. 그녀는 남문 근처에 살았는데 그녀와 같은 지역에서 온 또 다른 여인은 형제 한 명과 함께 우리 안전구역으로 왔다. 그녀 역시 양친과 세 아이를 잃었다. 모두 일본인에게 사살당했다. 그녀는 가진 돈을 모두 털어 관을 하나 샀다. 적어도 부친만은 안장하고 싶었기 때문이다. 일본군이 이 사실을 알고 관 뚜껑을 떼고 대로변에 시체를 버렸다. '중국인은 매장할 필요가 없다.' 이것이 일본군의 설명이었다. 일본정부는 강조했다. 그들은 무기를 지니지 않은 중국 민간인을 대상으로 전쟁을 벌이는 게 아니라고 말이다!

1938년 1월 17일

어제 오후, 나는 로젠 박사와 함께 난징시를 가로질러 비교적 오랜 시간 자동차를 타고 달렸다. 집에 돌아왔을 때의 기분은 상당히 우울했다. 일본인이 이 도시를 어떻게 짓밟아 버렸는지는 말로 설명할 수 없을 지경이다. 난 난징이 빠른 시일 안에 복구되기 어렵다고 생각한다. 타이핑루(太平路)는 과거 이 도시의 주요 상업 지대이자 난징 사람들의 자랑이었다. 저녁이 되면 켜지는 화려한 등불은 상하이(上海)의 난징루(南京路)와 견줄 만했다. 그러나 지금은 폐허로 변해버렸다. 모든 것이 불에 타 한 채의 건물도 남아 있지 않았다. 좌우 어디를 둘러보아도 잔해만 가득 쌓여 있다. 푸즈먀오(夫子廟)는 과거 유흥가에 있었다. 수많은 찻집과 대형 시장도 마찬가지로 거의 다 파괴되었다. 눈길이 닿는 곳이면 어디나 허물어진 담벼락뿐, 볼 것이 아무것도 없다! 누가 이 모든 것을 재건할 것인가? 돌아오는 길에 우리는 국립극장과 신지에커우(新街口) 뒤쪽 대형 시장의 화재 현장에 가보았다. 이곳도 전부 불탔다. 나는 이 도시의 3분의 1이 일본인에 의해 불태워졌다고 썼는데 크나큰 오산이었다. 만일 동쪽—그쪽은 내가 아직 자세히 살펴보지 않았지만—역시 같은 방식으로 당했다면 난징의 절반 이상이 폐허가 된 것이다……

1938년 1월 22일

마기가 또 나쁜 소식을 듣고 왔다. 일본군이 손에 잡히는 모든 가축을 전부 가져갔다는 것이다. 일본군은 중국 청년을 시켜 돼지를 잡았는데 몇몇 청년은 빨리 달리지 못하거나 돼지를 잡지 못해 칼에 찔려 죽었다고 한다. 이렇게 희생된 한 청년은 배가 갈려져 오장육부가 흘러나왔다. 이런 이야기를 계속 들으면 누구나 속이 메스꺼워진다. 사람들은 일본군대가 범죄자들로 구성된 것 같다고 했다. 정상적인 사람이라면 이런 일을 할 수 없을 테니 말이다. 우리는 오늘 중국군을 가득 태운 트럭 몇 대가 남쪽에서부터 시아관(下關)으로 가는 것을 보았다. 내 생각에 이들은 난징과 우후(蕪湖) 사이에서 붙잡힌 포로로 일본군은 이들을 데리고 양쯔 강(揚子江)으로 가서 처형할 것이다.

1938년 1월 25일

우리가 보고하지 않은 수많은 사건 가운데 하나.

한 중국 노동자가 일본인을 위해 하루 종일 일을 했다. 중국인은 돈 대신 쌀을 받았고 피곤한 몸을 끌고 가족과 식사를 하기 위해 식탁에 앉았다. 아내가 올린 것은 희멀건 한 죽으로 여섯 식구의 저녁 식사가 이보다 더 소박할 수는 없었다. 그때 지나가던 한 일본군이 재미삼아 반쯤 담긴 죽에 오줌을 갈기고 크게 웃으며 갔다. ……중국인은 짓밟히면서도 운명이라 여기며 참고 견뎠다. 이미 말했듯 이 사건은 그다지 중대한 일이 아니다. 만일 모든 강간 사건에 죽음으로 처벌한다면 일본군은 대부분 죽음을 면치 못했을 것이다.

1938년 2월 3일

1938년 1월 3일, 지난 1937년 12월 30일에 일본군의 위생부대로 끌려간 다섯 명의 중국 여성 중 하나가 병원에 실려왔다. 그녀의 말을 들어보니, 일본군은 여성들을 데리고 서쪽의 한 집으로 데려갔는데, 아마도 야전병원인 듯했다. 여성들은 대낮에 옷을 빨고 밤에는 강간을 당했다. 나이가 있는 여성들은 매일 밤 10~20회, 젊고 예쁜 여성은 매일 밤 40회가 넘게 강간을 당했다. 1월 2일, 두 명의 일본군은 사경을 헤매는 한 여성을 병원 근처의 학교로 데려갔다. 그녀는 칼에 열 번을 찔렸다. 목에 네 번을 찔렸는데 근육과 경추를 관통했고 팔꿈치와 얼굴에 각각 한 번, 등에 네 번을 찔렸다. 이 여성은 현재 목숨은 보전할 것으로 보이지만 목이 마비되어 평생 움직이지 못할 것이다. 두 명의 일본군은 그녀가 거기서 죽었다고 생각했다. 다른 일본군 몇몇이 상황을 보고 중국인에게 그녀를 병원에 데려다주게 한 것이다.

생존자의 폭로

천더꾸이(陳德貴)**, 리시우잉**(李秀英)**, 루홍차이**(路洪才)**, 쟝건푸**(董根福)[2]

1937년 12월 13일, 일본은 중국을 침략해 난징을 함락시켰다. 즉, 난징 시민들에 대한 참혹하기 그지없는 대학살이 시작된 것이다. 우리는 이 대참사에서 살아남은 생존자 혹은 피해자의 가족이다. 48년 전 일본군이 벌인 극악무도한 행위는 지금까지도 몸서리치게 놀랍고 또 몹시 분노케 한다.

구사일생으로 살아났지만 총에 맞은 상처는 아직도 남아 있다

내 이름은 천더꾸이로 은퇴한 노동자다. 일본군이 난징에서 잔혹한 행위를 하던 그해의 기억이 여전히 생생하다. 1937년, 난 고작 15살이었다. 12월 13일, 나는 수많은 난민을 따라 시아관과 허지양항(和記洋行, 지금의 난징 로우롄창)으로 피난을 갔다. 일본군이 난징으로 들어와 시아관에서 우리를 발견하고는 쫓아왔다. 그들을 땅바닥에 상자 두 개를 놓고 손목시계와 반지같이 값나가는 물건들을 뺏어 상자에 넣었다. 다음 날 난민 가운데 2,800명의 젊은이를 탄광으로 끌고 가 창고에 가두었다. 일본군은 총검을 들고 문 앞에서 감시했다. 셋째 날 새벽, 창고 안에 있던

---

2) 천더꾸이, 리시우잉, 루홍차이, 쟝건푸는 일본이 난징을 침략했을 때 모두 평범한 민간인이었다.

열 명이 불려 나와 부두로 끌려갔다. 일본군은 그들을 강물 앞에 세워 총살했다. 우리가 창고 안에서 총소리를 들으면 누군가는 돌아오지 못했다. 계속해서 일본군은 또 열 명을 끌고 갔고 또 한 번의 총소리가 들렸다. 나는 그제야 일본군이 내 동포를 죽이는 걸 알았다. 일본군이 세 번째 들어왔을 때 나도 끌려나갔다. 부두로 걸어가면서 태양을 보았는데 오전 8시 즈음 된 것 같았다. 우리는 강물 앞에 섰고 일본군은 총을 들어 사격할 준비를 했다. 내가 물속에 뛰어들자 때마침 총소리가 들렸다. 사람들이 물속에 빠졌기에 일본군은 아마도 내가 총에 맞고 물에 빠졌다고 생각해 추격하지 않은 것 같다. 나는 잠수를 하여 맞은편으로 건너가 폭파된 기차 속에 숨어 고개만 빼고 동정을 살폈다. 그날 나는 일본군이 중국인을 총살하고 물에 빠트리는 모습을 직접 목격했다. 새벽부터 저녁까지 마지막으로 남은 7백 명까지 모두 강 속에 던져버린 뒤 기관총으로 미친 듯이 쏘아댔다. 2천 명이 넘는 청년들이 이렇게 일본인들에게 학살당했다. 날이 어두워진 뒤 일본군이 돌아갔다. 사방은 적막에 빠졌다. 나는 그제야 기차에서 기어 나와 다리 밑에 도착했다. 두 다리가 뻣뻣하게 굳었고 온몸은 사시나무처럼 떨렸다. 사방이 칠흑처럼 어두워 방향도 모르겠고 길도 보이지 않았다. 할 수 없이 다리 밑에서 하룻밤을 보내고 날이 밝자 다시 걸었다. 가던 중 난민이 버리고 간 모포를 주워 몸을 꼭 싸맸다. 시체 속에서도 몸이 바들바들 떨렸다. 이때 일본군 몇 명이 다리를 지나다 덜덜 떨고 있는 나를 발견하고 총을 쏘았다. 총알이 내 허벅지 안쪽을 스치고 지나갔다. 네 번째 손가락에도 총을 맞았다. 셋째 날 시체를 묻는 이가 와서 내 숨이 붙어 있는 걸 발견한 뒤에야 다행히 죽음을 면할 수 있었다. 지금까지 내 허벅지와 손가락에는 일본군이 쏜 총알에 맞은 상처가 남아 있다. 이것이 바로 일본군이 중국인을 도살했다는 증거다.

목숨 걸고 싸워 절대로 굴복하지 않는다

나는 리시우잉이다. 그해, 일본군이 난징을 침략해 천인공노할 죄행을 벌인 그해를 돌이켜보면, 내 몸에 서른 일곱 군데의 상처가 바로 그 증거였다. 1937년 12월 초, 일본군의 비행기가 날마다 난징을 폭격했다. 집들이 무너졌고 민간인들이 죽었으며 사람들은 두려움에 떨었다. 13일 오전, 일본은 수이시먼(水西門)과 중화먼(中華門)으로 난징에 들어왔고 그들은 오자마자 난징의 건물을 불태우고 재물을 빼앗았으며 보이는 사람마다 죽였다. 길에서 사람을 보면 거의 모두 죽여버렸다. 내 남편과 남동생은 이때 이미 북쪽 시골로 피난을 갔고 나는 임신 7개월로 이동하기 불편해 부친과 함께 난징에 남아 있었다. 우리는 몇몇 난민들과 우타이산(伍台山)에 있는 미국인이 운영하는 학교 지하실에 숨었다. 지하실은 무척 좁았고 습기도 가득했다. 스무 명이 넘는 사람들이 그 좁은 공간에서 낮에는 감히 나가지도, 소리를 내지도 못하니 답답하고 불안했다.

12월 19일, 가랑비가 내리고 서북풍이 불었다. 우리는 추워서 몸을 덜덜 떨었다. 대략 오전 9시경, 여섯 명의 일본군이 총을 들고 지하실로 뛰어들어와 십여 명의 젊은 여성들을 끌고 갔는데 그중에 나도 있었다. 당시에 나는 죽을지언정 모욕당하지 않겠다고 생각했다. 차라리 죽음으로 저항하겠다고 결심했다. 그런데 그 순간 나는 머리를 벽에 부딪쳤고 피를 흘리며 정신을 잃었다. 잠시 기절했다가 깨어나 보니 일본군은 이미 가버린 뒤였다. 아버지와 함께 머물던 난민들이 나를 지하실 야전침대에 눕혔다. 이때 나는 이상할 정도로 화가 치밀었다. 내가 벽에 머리를 부딪쳐 피를 흘렸다니 말이다. 나는 어려서부터 아버지로부터 무술을 배웠다. '반드시 일본군 한 명은 죽여야 내 죽음이 헛되지 않을 것이다.' 이렇게 생각하니 온몸에 기운이 솟았다. 아버지께 나의 각오를 말씀드렸다. "만일 제가 일본 놈들에게 살해당하면 남편과 남동생에게 전해주세요. 나는 모욕당하지 않았으니 나를 위해 복수해달라고요!" 결심을 하고 용기가 생기니 두려울 것이 없었다. 바로 그날 정오에 세 명의 일본군이 다시 왔다. 그들은 지하실에서 남자들을 모조리 쫓아냈다. 그중 두 명은 예닐곱 명의 여자를 데리고 다른 방으로 들어가 강간할 준비를 했다. 나는 침대에 누워 있었다. 나머지 일본군 하나가 걸어오더니, "중국 아가씨, 무서워하지 마"라고 말하며 내 단추를 풀었다. 나는 치파오(chinese dress)를 입고 있었다. 그때 일본군 허리에 찬 단도가 보였다. 일전에 숙부가 차던 것과 똑같은 것인데 칼집이 있어서 쉽게 빠지지 않는 것이었다. 나는 그가 방심한 틈에 재빨리 버튼을 열고 칼집을 꼭 잡아 침대에서 뛰어올랐다. 일본군은 놀라서 허둥대며 내가 칼을 뽑지 못하게 필사적으로 막았다. 이때 나는 거의 사지로 몰려 있었기에 그 일본군을 발로 차고 머리로 들이받고 이로 깨물었다. 일본군은 물린 곳이 아팠는지 소리를 질렀고 그 소리를 들은 옆방의 두 일본군이 달려왔다. 그사이 잡혀간 여자들은 도망갔다. 나는 죽을힘을 다해 칼자루를 쥐었다. 어디서 그런 힘이 나왔는지 모르겠지만 그 일본군과 땅바닥에 떨어져 죽을힘을 다해 싸웠다. 나머지 두 명의 일본 놈이 칼로 내 몸을 찔렀다. 다리며 얼굴이며 여러 곳에서 새빨간 피가 흘렀다. 나는 아픈 줄도 모르고 손에 칼자루를 쥐고 놓지 않았다. 그러다 결국 한 일본군이 내 배를 칼로 찔렀다. 그 순간 배가 뒤로 밀리더니 눈앞이 깜깜해졌다. 그대로 기절을 해서 뒤의 상황은 어떻게 됐는지 모르겠다. 일본군이 떠나고 아버지와 난민들이 돌아와 '죽은 나'를 보았다고 한다. 모두 비통했지만 밝은 대낮에 나가 묻을 수 없어 저녁이 되기를 기다렸다가 부친과 난민들은 우타이산 근처에 구덩이를 파서 나를 매장할 준비를 했다고 했다.

　사람들은 나를 문짝에 올려놓고 이동했다. 그런데 문짝이 흔들리고 찬바람이 자극하는 바람에 나는 깨어났다. 아버지는 내 미약한 신음소리를 듣고 이름을 부르셨다. 나는 아버지가 부르는 소리를 들은 것 같아 가늘게 눈을 뜨고 힘없이 말했다. "저 죽지 않았어요. 살아야겠어요!" 아버지는 나를 구로우 병원에 데려갔다. 다음 날 내 배 속에 있던 7개월 된 태아는 끝내 지키지 못했다. 나는 온몸에 상처를 입었다. 붓고 아팠으며 전신에 피멍이 들었다. 두 발부리에 혈병(血餠)이 생겨 의사가 내 머리카락을 모두 잘라냈다. 그때 내 얼굴은 마치 핏사발(血盆)같이 부었다. 의사가 검사해보니 내 몸에 자상이 도합 서른일곱 군데라고 했다. 입술, 코, 눈꺼풀까지 안 찔린 곳이 없었다. 입으로 밥을 먹으면 코로 나왔다. 의사는 상처가 난 자리를 하나하나 꿰매주었다. 7개월 동안 정성껏 치료를 받고 나서야 나는 다소 회복할 수 있었다. 그러나 일본군이 나를 잔혹하게 죽이려 했다는 증거는 아직까지 내 몸 곳곳에 남아 있다.

과거를 떠올리니 멈출 수 없는 슬픔과 분노

내 이름은 루훙차이다. 1937년, 우리 집은 위화먼(雨花門) 밖 훙투산(紅土山) 아래에 있었다. 그 길 첫 번째가 바로 우리 집이었다. 그해 겨울, 일본군은 난징에 침략했다. 쥐룽(句容)에서 도망친 난민들이 집 앞을 지나가며 계속해서 그곳의 상황을 전해주었는데, 일본군은 쥐룽에 불을 지르고 사람을 죽이며 여자를 강간하고 포로로 잡아갔다고 한다. 우리 가족은 모두 당황하고 놀라 어떻게 도망갈지를 의논했다. 내 외조부와 외조모는 자녀가 많고 또 어렸다. 두 명의 외삼촌과 이모가 겨우 서너 살이었고 나는 그때 여섯 살이었다. 어머니도 이미 산달이 다가오고 있어 장거리를 이동할 수 없었다. 할 수 없이 외조부는 일가족을 모두 남게 하시고 나와 큰 숙부만 데리고 강변의 위웨이탄(漁圩灘)이라는 무인도로 피난을 갔다. 나와 다른 피난민은 땅굴을 파서 숨었다. 하루는 일본군 한 명을 보았는데 우리가 숨은 방향으로 뛰고 있는 농민을 쫓고 있었다. 일본군은 농민을 잡은 뒤 돌을 몸에 묶고 강 속에 그냥 빠트렸다. 이때 위화먼에서 온 마을 사람이 아버지께 "당신 집에 큰일이 났어요. 어서 가보세요"라며 일러주었다. 우리가 몰래 집으로 돌아가 보니 모두 불에 타 깨진 기왓장만 남아 있었다. 마당에는 피와 살덩이가 도처에 널려 있었고 방공호 안에 시신이 뒤엉켜져 있었다. 식구 중 생존자는 단 한 명도 없었다. 아버지는 비통함에 큰 소리로 우셨다. 시신을 묻을 때 보니 어머니의 배가 갈라져 있었는데 아직 태어나지 않은 남동생이 배 속에서 참혹하게 죽어 있었다. 근처에 살던 아주머니가 우리를 보고 울면서 당시의 일을 이야기해주었다. 아버지가 우리를 데리고 간 다음 날, 일본군 예닐곱 명이 훙투산에 왔다. 어떤 이는 기관총을 틀고 어떤 이는 총검을 들고 집집마다 수색을 하고 다녔다.

우리 집이 그중 첫 번째로 공격을 받았다. 그들은 먼저 집 안을 샅샅이 뒤지며 값나가는 물건을 찾았다. 그다음에 의자나 탁자를 부수어 불에 잘 붙게 만든 뒤 집에 불을 피웠다. 이웃들이 어머니에게 빨리 나오라고 외쳤지만 어머니는 극악무도한 일본군의 총에 맞아 나오지 못했다고 한다. 일본군은 또 방공호 안에 수류탄을 던졌고 '쾅' 하는 소리가 들리자 피와 살이 방공호 밖으로 터져 나왔다. 이런 상황에도 잔인무도한 일본군은 손뼉을 치며 미친 듯이 웃었다고 한다. 우리 일곱 식구는 일본군의 손에 이렇게 참혹하게 살해당했다.

일제의 만행은 하늘도 분노하게 한다

내 이름은 쟝건푸다. 난징이 함락되었을 때, 일본군에게 일가족을 잃고 고아가 되어 거리를 헤매게 되었다. 당시의 일을 이야기하자면 1937년, 내가 꼭 7살이 되던 해로 거슬러 올라가야 한다. 우리 여덟 식구는 부서진 배에서 살았다. 일본군이 난징을 빼앗은 뒤 아버지는 우리 가족을 데리고 싼차허(三汉河)로 피난을 갔다. 그런데 도중에 배에 물이 차 우리 가족은 배를 버리고 제방을 따라 걸었다. 그러다 우연히 빈집을 발견했는데 살던 사람이 도망간 것 같지 않아 섣불리 들어갈 수 없었다. 부모님은 나와 동생들을 따로 갈대숲에 숨겨놓으셨다. 당시 어머니가 젖이 안 나와 석 달 된 남동생이 울음을 그치지 않았기 때문이다. 일본군은 길을 지나다가 남동생의 울음소리를 듣고 어머니를 찾아냈다. 어머니를 강간하려 하자 어머니는 있는 힘을 다해 반항했다. 그러나 극악무도한 일본군은 마침내 어머니가 안고 있던 남동생을 뺏어 산 채로 던져 죽였다. 어머니가 울면서 남동생에게 달려가자 일본군은 총을 쏘아 어머니를 죽였다. 일본군이 떠난 뒤 아버지는 눈물을 머금고 어머니와 남동생을 갈대밭에 묻었다. 사흘 뒤 일본군은 아버지를 잡아갔고 아버지는 다시 돌아오지 못하셨다. 이틀이 지났다. 일본군은 갈대밭에서 열한 살이던 내 둘째 누이를 찾아내 강간했다. 둘째 누이는 사력을 다해 뛰었다. 지금의 허원(河灣)학교 근처까지 도망쳤는데 결국 일본군에 붙잡혀버렸다. 둘째 누이가 죽기 살기로 욕을 하며 발로 차니 일본군은 부끄럽고 분한 나머지 군도를 뽑아 둘째 누이의 머리를 반으로 잘랐다. 남은 우리 형제들이 둘째 누이에게 왔을 때는 누이의 처참한 모습에 놀라 함께 끌어안고 울었다. 그리고 얼마 후 일본군은 남은 세 명의 가족을 죽였다. 당시 우리 4형제는 모두 열 살이 채 안 되었다. 이렇게 나는 부모를 잃고 거리로 나앉아 구걸하며 생활했다.

극동국제군사법정 '난징대학살' 사건 재판 과정

메이루아오(梅汝璈)[3]

1. 그해 도쿄 국제군사법정에서 난징대학살 사건을 재판하던 중 피고 측인 일본 전범의 변호사[4]가 했던 변론이 생각난다. 그는 일본군이 처음 난징에 들어갔을 때 난징에 있던 시체들은 모두 중국인이 퇴각하면서 서로 죽인

---

3) 저자는 당시 극동국제군사법정의 중국 법관으로 출석했다.

4) 극동국제군사법정의 규정에 의하면 피고인 전범들은 두 명의 변호인을 고용할 수 있다. 한 명은 일본 국적, 다른 한 명은 미국 국적의 변호인을 두었다. 일본 국회의 중의원의장 기요세 이치로(清瀬─郎, 자유민주당 소속)는 전 총리인 도조 히데키(東條英機)의 일본 국적 변호인이었다. 법정에서 이른바 '국가별 변호사제'를 채용했기에 변호인들은 법정에서 연합국대표(원고)의 검찰관과 완전히 평등한 권리와 의무가 가진다(법정에서 검사장은 '검사 측 수석 변호사'라 칭하고 각국 소속으로 배석하여 보조하는 검사는 '검사 측 변호사'라 칭한다). 변호사들은 피고가 저지른 죄를 회피하고 재판을 연장하기 위해 꼬치꼬치 따지고 검찰이 제공한 증인과 증거를 공격했다. 뿐만 아니라 검찰의 논증과 주장을 반박하고 비난하는 등 틈만 나면 파고들었고 온갖 수단을 가리지 않았다. 미국 변호인의 기세가 특히 유별났다. 계속 사실을 무시하고 입에서 나오는 대로 함부로 말하는 통에 필요 없는 문제가 계속 생겼다. 극동 법정심리가 길어져 두 해 반(1946년 5월~1948년 11월)이나 끌었던 까닭은 여러 가지 이유(예를 들면 무엇보다 안건이 컸고 문제가 복잡했으며 피고가 많았고 언어소통의 문제 등이 있었다)가 있었지만 무엇보다 피고 변호인들의 '지연전략'이 실로 중요한 이유 중 하나였다. 그러나 법정이 혼란을 가중시키는 미국 변호사를 단호하게 제명시키면서 상황은 나아졌다. 심리가 비교적 순조롭게 진행된 것이다.

것이라고 말했다. 당시 각국의 법관들은 말도 안 되는 헛소리이며 상상할 수도 없는 일이라고 생각했다. 그러나 쑹시롄(宋希濂)의 글을 읽은 뒤 나는 이 헛소리가 일부(물론 지극히 적은 일부) 사실과 부합한다는 걸 알았다. 당시 난징은 크고 작은 배가 천 척이 넘었다. 만일 방어 책임자가 계획적이고 질서 있게 퇴각 작전을 짰다면 적어도 십수만 무장 부대가 안전하게 강을 건널 수 있었을 것이다. 어떻게 절반 이상(대략 3분의 2) 자기들끼리 싸우고 또 일본군에게 오리나 토끼를 죽이듯 함부로 죽임을 당했겠는가? 물론 내가 이렇게 말한다 해도 일본군이 수십만의 무고한 중국인을 상대로 난징에서 벌인 천인공노할 죄행이 덜어지는 것은 아니다. 난징대학살은 쑹시롄의 말처럼, "현대 전쟁 역사상 가장 잔혹한 기록이다." 그 잔혹의 정도를 중국 역사에서 찾아보면 '양주십일(揚州十日)', '가정삼도(嘉定三屠)'보다 더하면 더했지 못하지는 않다. 그러나 쑹시롄이 또 말했다. "나중에 극동국제법정에서 다니 히사오(穀壽夫)에게 내린 판결문에 보면 일본군에게 피살되거나 불에 탔거나 생매장된 중국군이 19만 명이라고 했다. 그밖에 수장된 15만이 넘는 시체가 있으니 모두 30만 명이 넘는 중국인이 참혹하게 죽은 것이다." 이는 실로 사실과 부합한다.

실제로 난징에서 학살된 중국인의 수가 30만 명이 넘는다고 한다면 이는 극동국제법정 재판 중에서 추론할 수 있는 수치다. 그러나 이 숫자가 극동국제법정에서 다니 히사오를 재판하는 과정에서 나온 이야기는 아니다. 사실 극동국제법정은 다니 히사오를 재판하지 못했다. 왜냐하면 다니 히사오는 A급 전범이 아닌 B급 전범이기 때문이다. 국제조례에 따르면 A급 전범은 국제법정에서 재판을 받고 B급, C급 전범은 일반적으로 직접 피해를 입은 국가에서 재판을 받는다(때로 두 개 혹은 두 개 이상의 직접적인 피해를 입은 국가가 조직한 법정에서 공동 재판을 받기도 한다. 그러나 이런 상황이 흔한 일은 아니다). 다니 히사오는 1946년 여름, 일본에서 인도받아 중국에서 재판받았다. 당시 난징국제부는 대중의 강한 압력을 받아 도쿄 연합군 본부에 다니 히사오를 중국으로 이송해달라고 요청했다. 당시 나는 도쿄에 온 지 두세 달 정도 되었다. 그런데 어느 날 본부 법무처 처장이 갑자기 테이코쿠(帝國) 호텔의 내 방으로 찾아왔다. 그는 내게 이번 일과 관련해 개인적인 의견을 물었다. 또한 중국법정이 다니 히사오에게 공정한 판결을 내릴 수 있을지, 적어도 공정한 판결로 보이게 만들 수 있을지 걱정이라고 했다. 나는 당연히 그를 최대한 안심키고 중국 측의 요구를 들어주라고 그를 종용했다.

"일반적인 국제원칙과 극동위원회가 처리한 일본 전범 결의서를 보면 B급과 C급 전범은 피해국(폭행이 일어난 타국)의 요구를 수용해야 하기에 본부에서는 인도를 거절할 수 없습니다."

이 대화를 한 지 얼마 지나지 않아 다니 히사오가 중국으로 이송되었다는 소식을 들었다. 그는 1947년 3월에 사형 선고를 받았다. 나중에 법무부 처장은 나와 이야기는 나누면서 중국 쪽에서 다른 B급 전범을 인도해달라고 요청했다고 밝혔다. 그 가운데 내가 기억하는 이름은 사카이 타카시와 이소가이 렌스케이다(확실히 기억나지 않는다). 이들은 중국인에게 거액의 핏값을 빚진, 중국인이 뼈에 사무치게 증오하는 일본군이다. 이들은 비록 지위가 높지는

않지만 중국인에게 저지른 만행이 수를 헤아릴 수 없이 많아 하나하나 다 적을 수 없을 정도이다.[5]

   2. 난징대학살은 분명 2차 세계대전 당시 일본군이 저지른 만행 중 가장 엄청난 사건이다. 그 잔혹함의 정도는 2차 세계대전을 통틀어 아마 나치(nazis)가 아우슈비츠(auschwitz)에서 유대인을 대학살한 것에 버금갈 것이다.[6] 물론 아우슈비츠대학살은 난징대학살과 성격과 방법이 다르다. 아우슈비츠대학살은 나치의 인종 차별 정책에 입각해

---

5) 법무부 처장이 중국이 전범의 인도를 요구했던 때는 1946년 하반기였다고 했다. 1947년 봄 이후에는 그와 자주 만났어도 이 일로 이야기를 나눈 적이 없다. 나는 일본에서 3년 넘게 테이코쿠 호텔에서만 머물렀다. 본부의 수많은 고위간부들 역시 그곳에 머물렀다. 테이코쿠 호텔은 동맹국 인사들의 교류센터였기 때문에 3년 동안 나는 법무부 처장과 호텔에서 계속 마주쳤다. 그러나 1947년부터 그는 고의적으로 나와 전범에 관한 문제를 이야기하지 않았다. 1949년 1월 26일, 장제스(蔣介石)가 오카무라 야스지(岡村寧次)를 석방하고 감옥에서 복역 중이던 260명의 전범들에 대한 판결을 내렸다. 듣자하니 이 일은 법무부 처장의 아이디어로 맥아더(MacArthur)를 통해 장제스에게 직접 제출했다고 한다. 전범을 태우고 가던 배가 요코하마에 도착한 날(1949년 2월 초순, 나는 그때도 일본에 있었다. 재판은 끝났지만 장제스 정부가 내게 정무위원 겸 사법부장직을 맡으라고 명령했기 때문이다. 이 때문에 도쿄에 체류하면서 반년간 여유가 있었다) 법무부 처장은 언론에 담화를 발표했다.

6) 아우슈비츠수용소(Auschwitz Concentration Camp)에서 벌어진 대학살과 독일 나치가 2차 세계대전에서 벌인 갖가지 폭행에 대한 에드워드 러셀(Edward Russell)이 쓴 『卐자 깃발 아래의 재앙』(또는 『나치 전쟁죄행록』, 베이징 스지에즈스출판사에서 중문번역본이 출간되었다)이라는 책의 서술과 분석은 그야말로 매우 총체적이고 과학적이어서 국제 출판계에서 상당히 높이 평가받았다.

히틀러(Adolf Hitler) 정부가 직접 명령한 계획적인 학살이었다. 또한 아우슈비츠대학살은 한 가지 방법(독가스)으로 학살했다. 그러나 난징대학살은 장관들의 방임 아래 일본군이 시비를 가리지 않고 제멋대로 아무렇게나 행한 일이다. 뿐만 아니라 아우슈비츠는 천추에 남을 그 더러운 살인공장 안에서 이루어졌다. 나치들은 학살할 대상을 한 조씩 나누어 강한 독가스가 나오는 방에다 넣었고 사람들은 몇 분 혹은 몇 초 안에 사망했다. 그러나 난징대학살은 집단학살 외에도 대부분 일본군이 개인적으로 혹은 몇몇 무리가 제멋대로 저질렀다. 학살을 하기 전 대부분 모욕, 학대, 약탈, 구타, 희롱, 강간 같은 일이 먼저 이루어졌다. 독일군의 학살은 단순한 학살이지만 일본군의 학살은 강간과 약탈, 방화와 여러 가지 폭행이 결합되었다. 그 방법은 다양하고도 기괴했다. 잔인함의 정도는 세계역사에서도 보기 드물었다. 학살의 최고조는 1937년 12월 13일로 일본군이 난징을 함락시킨 후부터 6주간 밤낮없이 이어졌다(극동국제법정 판결문 참조).

다니 히사오가 이끌었던 제6사단은 중화면을 통해 가장 먼저 난징에 들어온 부대다. 12월 21일, 다니 히사오 사단은 줄곧 중화면 일대에(위화타이를 포함하여) 주둔했다. 이 시기 일본군이 난징에서 벌였던 만행은 최고조에 이른다(당시 국제안전구역에 숨어 있던 중국인을 제외하고 일본군은 마주치는 모든 중국인 남성을 죽였다. 중국인 여성을 보면 강간했고 강간한 뒤에는 죽였다. 주택이나 점포는 모두 불살라버렸고 보이는 재물마다 모두 빼앗았다). 중화면 일대는 가장 많은 사람이 죽었고 폭행이 가장 심했던 곳이다. 따라서 다니 히사오는 난징대학살에 대해 엄중한 책임이 있다. 그는 죽어도 그 죄를 다 씻을 수 없을 것이다.

다니 히사오와 함께 난징을 공격한 부대는 나카지마의 16사단, 우시지마의 18사단, 스에마츠 114사단이다.[7)] 이들은 점령 초기 난징에 주둔했다. 그들의 장교와 사병은 모두 야수처럼 법도 없고 하늘도 없는 듯 만행을 저질렀다. 나카지마, 우시지마 사다오, 스에마츠 세 사람은 어떻게 되었을까? 전쟁 후반에 전사했을까? 일본이 투항한 뒤 자살한 걸까? 아니면 연합국에 인도되어 처형되었을까? 확실치 않다(이들은 모두 A급 전범이 아니기에 단 한 명도 극동국제법정에서 재판받지 않았다).

이들을 이끈 이는 난징에서 악명 높은 마쓰이 이와네(松井石根) 대장이다. 그는 당시 중지나방면군 사령관이자 난징 공격의 최고통솔자였다. 난징대학살에 있어서 그는 분명 직접적으로 가장 큰 책임이 있는 자다.

마쓰이 이와네는 그의 지위와 죄질로 인해 A급 전범 리스트에 올랐다. 그는 극동국제군사법정에서 28명의 주요 전범들과 함께 재판을 받았다. 이 28명의 전범들은 모두 일본 파시즘(fascism)의 원흉이며 그 가운데 네 명(도조 히데키, 히로타 코우키, 히라누마 키이치로, 고이소 구니아키)은 총리를 역임했고 나머지도 대부분 육군대신이나 해군대신, 외무대신 혹은 주요 전쟁지역의 최고지휘관을 맡았다. 이들 전범은 대부분 대대장급으로 오랫동안 일본인들의 리더 자리에 있었던 인물로 일본이 침략정책을 만들고 수행하는 과정에 막중한 책임이 있다.[8)]

---

7) 이 외에도 요시즈미의 9사단, 13사단의 야마타 부대와 쿠니자키 부대가 있다.

8) 극동국제법정이 1946년 5월 3일부터 재판한 일본의 A급 전범 28명은 다음과 같다.

아라키 사다오(荒木貞夫), 도이하라 겐지(土肥原賢二), 하시모토 긴고로(橋本欣五郎), 하타 슌로쿠(畑俊六), 히라누마 기이치로(平沼騏一郎), 히로타 고키(廣田弘毅), 호시노 나오키(星野直樹), 이타가키 세이시로(阪垣征四郎), 가야 오키노리(賀屋興宣), 기도 코이치(木戸幸一), 기무라 헤이타로(木村兵太郎), 고이소 구니아키(小磯國昭), 마쓰이 이와네(松井石根), 마쓰오카 요스케(松岡洋右), 미나미 지로(南次郎), 무토 아키라(武藤章), 나가노 오사미(永野修身), 오카 다카즈미(岡敬純), 오카와 슈메이(大川周明), 오시마 히로시(大島浩), 사토 겐료(佐藤賢了), 시게미쓰 마모루(重光葵), 시마다 시게타로(島田繁太郎), 시라토리 도시오(白鳥敏夫), 스즈키 데이이치(鈴木貞一), 토고 시게노리(東郷茂德), 도조 히데키(東條英機), 우메즈 요시지로(梅津美治郎)

재판이 길어지자 마쓰오카 요스케(前 외무대신)와 나가노 오사미(前 해군대신)는 감옥에서 병사했다. 오카와 슈메이는 정신질환으로 재판이 중지되었다. 이렇게 1948년 11월 재판 때는 25명의 전범만 남았다. 그 가운데 7명은 교수형(도조 히데키, 히로타 코우키, 마쓰이 이와네, 도이하라 겐지, 이타가키 세이시로, 무토 아키라, 기무라 헤이타로로), 2명은 징역형(토고 시게노리 20년, 시게미쓰 마모루 7년), 16명은 무기징역(일본인은 종신 금고형이라고 함)을 받았다. A급 전범으로 불리는 약 70명의 일본인은 모두 극동국제법정의 재판을 받기 위해 체포되거나 구금되었다. 당시 연합군본부의 국제검사국(극동국제법정의 기소기관)은 안건이 크고 복잡하며 피고가 너무 많았기에 (당시 뉘른버그 국제법정에서 재판받은 나치 전범은 단 22명에 불과했다) 둘 혹은 셋으로 나누어 법정에 기소했다. 첫 번째로 기소된 20명의 피고들은 20년간 일본의 정치, 군사, 외교의 수장을 지낸 자들이었다. 나머지는 금융가, 재벌, 무기판매상[예를 들면 기시 노부스케(岸信介), 구하라 후사노스케(久原房之助), 아이카와 요시스케(鮎川義介)]과 같은 이들이다. 이들은 앞의 20명에 비해 지위는 낮았지만 죄명은 그에 못지않은 전범들이다[예를 들면 니시오 토시조(西尾壽造), 안도 기사부로(安藤紀三郎), 고다마 요시오(兒玉譽士夫), 아오키 가즈오(青木一男), 다니 마사유키(穀正之), 아마하 에이지(天羽英二) 등이다. 이들은 두 번째 혹은 세 번째에 기소하기 위해 남겨두었을 것이다. 그러나 첫 번째 재판이 지지부진하자 연합군 최고통솔자 맥아더는 국제검사국(완전히 미국인으로 조종된 기관)에 증거가 부족하면 기소유예하라고 지시했다. 이로 인해 나머지 40명의 A급 전범이 풀려났다. 첫 번째 석방은 1947년 가을에 이루어졌다(악명 높은 일본의 총리 기시 노부스케와 두 번 중국을 방문했던 구하라 후사노스케가 이때 석방되었다). 23명의 전범이 풀려났다. 두 번째 석방은 1948년 말로 19명이 풀려났다(일본국회의원 중국방문대표단으로 중국을 방문했던 스

극동국제법정은 1948년 11월 4일 오전에 개정하여 2년 반 동안 길고 긴 시간 동안 난징대학살 심리를 진행했다(총 개정은 818차례이고 재판기록은 4만 8천 쪽이 넘었다). 한 판결문은 1,218쪽으로 8일간 낭독하여 세계기록을 깼다. 11월 12일 오후(마지막 법정) 각 피고의 형이 선고되었다. 마쓰이 이와네에게 내려진 극동국제법정의 판결은 교수형이었다.[9]

_____

마 야키치로(須磨彌吉郎)도 이때 석방되었다). 이로 인해 극동법정에서 첫 번째로 기소되었던 25명 전범들의 판결이 집행되었고 일본의 모든 A급 전범은 맥아더에 의해 전부 깨끗하게 처리되었다. 더 이상 아무도 기소하지 않았다. 극동국제법정은 이제 할 일이 없어졌다. 당시 각국의 법관들도 집으로 돌아가고 싶어 잇달아 일본을 떠나 귀국했다(11명 중 나만 예외였다. 앞서 이야기한 정치적인 문제로 나는 1949년 6월 상반기까지 일본에 남아 있었다). 이상한 것은 어떠한 극동위원의 결의나 연합군 본부의 공문에도 법정 해산 날짜나 마지막 과정에 대해 아무런 명문 규정도 찾을 수 없다는 점이다.

9) 마쓰이 이와네는 2년이 넘게 재판을 받으면서 줄곧 낙심하고 참회하는 척 가련한 모습을 보였다. 마지막 재판장에서 교수형 판결이 내려지자 사색이 되었고 혼비백산하여 두 다리의 힘이 빠져 제대로 서지 못했다. 뒤에 있던 두 명의 건장한 헌병들이 부축해서 가까스로 법정에 들어갔다. 그는 나머지 6명과 함께 1948년 12월 23일 새벽에 처형되었다. 처형장에 올라갔을 때 이들은 모두 큰 소리로 '천황폐하 만세!', '대일본제국 만세!'를 외치며 원흉의 주모자들 간에 결의를 다졌다. 이들의 시체는 불태워졌고 군함 위에서 유골을 뿌려 종적을 찾을 수 없게 했다. 이는 2차 세계대전 이후 사형 판결을 받은 국제 전범들을 처리하는 일반적인 방법이다. 뉘른버그 국제법정에서 사형을 받은 독일 전범들의 선례를 따랐다. 그 목적은 일부 복수를 하려는 사람들이 전범의 유골이나 유해를 찾아 장례를 치르고 묘비를 세워 순국선열 혹은 민족의 영웅으로 탈바꿈시키려는 일을 막기 위해서다. 모년 모일, 당시 도조 히데키의 변호인을 맡았던 기요세 이치로는 후에 일본 국회중의원의장이 되어 일본의 군국주의자들과 일본 나고야에 친 5백 엔을 투자해 극동국제법정에서 사형판결을 받은 이 7명의 전범을 위한 기념비를 세웠다. 그들의 '공적'을 치하하기 위해서 말이다.

3. 2차 세계대전 때 일어난 파시즘 범죄 가운데 난징대학살은 가장 중요한 사건이다. 또한 피고 마쓰이 이와네는 난징대학살에 가장 큰 책임이 있다. 때문에 극동국제법정은 이 사건의 심리를 특별히 엄중하게 처리했다. 내 기억에 의하면 우리는 거의 3주에 걸쳐 중국에서 온 혹은 직접 사건을 목격한 중국인과 외국인 증인들의(10명 이상) 구두진술을 들었다. 또한 검사와 피고 변호인 쌍방 간의 대질 심문도 이어졌다. 백 건이 넘는 서면 증언과 관련 문서를 받으며 마쓰이 이와네를 심문했다. 재판의 과정에서 우리는 일본군이 난징에서 벌인 잔인한 폭력이 실로 현대 전쟁 역사상 보기 드문 잔혹한 기록임을 알 수 있었다. 독일군이 아우슈비츠에서 단순히 독가스로 사람들을 죽인 일에 비하면 일본군의 살해방법은 잔인하기 그지없었고 방법도 다양했으며 기괴했다. 현재 내가 기억하는 가장 인상적이고 잊지 못할 폭행 사례와 극동법정 심판과 판결 중 확인된 일부 사실을 간단하게 정리하면 이렇게 말할 수 있겠다. '과거를 잊지 않으면 오늘날의 귀감이 된다.' 극동국제법정 판결문에는 다음과 같은 내용이 있다.

"1937년 12월 13일 새벽, 일본군이 난징 시내로 진격했을 때 아무도 저항하지 못했다."

"일본군은 마치 방종한 야만인처럼 이 도시를 더럽혔다."

"난징시는 사로잡은 미끼처럼 일본인의 수중에 떨어졌다. 이 도시는 조직적인 전투부대가 점령한 것 같지 않았다. 난징은 전쟁에서 승리한 일본군이 포획한 먹잇감으로 셀 수 없이 많은 폭행이 발생한 곳이었다."

"일본군은 단독으로 혹은 조직적으로 도시를 돌아다니며 제멋대로 사람을 죽이고 강간하며 방화를 저질렀다.

당시 어떤 규율도 존재하지 않았다. 수많은 일본군이 곤드레만드레 취해 거리를 활보하며 죄 없는 중국인 남녀노소를 막무가내로 죽어버렸다. 결국 큰 길이건 좁은 골목이건 도처에 살해된 시체가 가득했다.”

“중국인은 마치 토끼와 같은 사냥감이었다. 일본군의 눈에 띄기만 하면 그들은 그냥 죽임을 당했다.”

“막무가내로 사람을 죽여버렸기에 일본이 난징을 점령한 뒤 2~3일이 지났을 때 이미 만 2천 명이 넘는 무고한 중국인이 피살되었다.”

법정 언어는 신중해야 하고 추측은 보수적으로 해야 한다. 이상의 내용은 법정에서 신뢰할 만하다고 판단한 증언이자 판결문에 쓰인 내용이다. 위에 적은 간략한 말에서도 일본군의 잔인함이 드러나니 그들의 발에 짓밟힌 난징의 무고한 중국인들의 운명은 얼마나 비참한가! 판결문에 적힌 간략한 이 내용은 생생한 인간지옥의 초상화이다.

4. 일본군은 개별적으로 혹은 소규모로 난징 시민을 언제 어디서든 마음대로 죽였다. 또한 특히 무장해제한 군인과 항일활동에 참가했다고 추정되는 사람들, 그리고 병역 연령에 적합한 청년들을 대상으로 대규모 집단학살을 벌였다. 집단학살은 가장 잔혹하고 비열한 방법으로 실행되었다. 예를 들면 12월 15일(난징 점령 사흘째), 일본군은 무장해제한 군인 3천 명을 한중먼 바깥에 풀어놓고 기관총으로 집중 사격했다. 사망하지 않은 사람도 시체와 함께 태웠다. 또 12월 16일(난징 점령 나흘째), 화치아오(华侨) 초대소에 모여 있던 난민 5천여 명은 일본군에 의해 중산부두

로 끌려갔다. 일본군은 이들의 두 손을 묶고 일렬로 세운 뒤 기관총을 쏘았고 시체를 강물에 던져 증거를 없애려 했다. 5천여 명 중 바이정롱(白增榮)과 량팅팡(梁廷芳)만 중상을 입고 맞은편 기슭에 떠올랐다. 량팅팡은 극동국제법정에 증인으로 출석했다. 그의 생생한 묘사는 아직도 내 머릿속에 남아 있다.

　　일본군이 난징에서 벌인 최대 규모의 집단학살은 12월 18일(난징 점령 엿세째) 시아관에서 발생했다. 당시 일본군은 난징 시내에서 나와 무푸산(幕府山)에 57,418명을 잡아놓았다. 그중 일부는 굶어 죽었거나 맞아 죽었고 대부분이 철사에 묶인 뒤 시아관 차오시에시아(草鞋峽)에서 기관총에 의해 죽었다. 땅에 쓰러져 피를 흘리는 사람들 가운데 신음소리가 들리면 칼로 베었다. 그리고 마지막으로 시체를 모두 불태워 증거를 없애려 했다. 우창더(伍長德)는 유일한 생존자로 일본군이 현장을 떠나자 죽은 사람들 속에서 숨어 있다 부상당한 채 도망쳐 목숨을 건졌다. 우창더 역시 극동국제법정에 증인으로 출석했다. 간담을 서늘하게 만드는 그의 증언은 아직까지 내 기억 속에 남아 있다. 6만 5천여 명을 상대로 일본군이 벌인 세 차례의 집단학살에서 단 세 명만이 운 좋게 살아남았다. 법정에서는 이들의 증언을 중시했고 매우 높은 증거가치를 부여했다. 이상의 집단학살당한 시체는 강에 버려지거나 불에 타재가 되었다. 일본인은 죄가 없다고 주장했지만 이렇게 많은 증거를 앞에 두고 자신들이 저지른 만행을 부인하지 못할 것이다.

　　항일전쟁에서 승리한 뒤 난징의 여러 곳에서 만인갱(萬人坑), 천인총(千人塚)이 발견되었다. 또한 링구스 근처에 알 수 없는 3천여 명의 비문이 세워져 있었다. 이 역시 의심할 바 없이 일본군이 집단학살을 벌인 증거로 아마 다른 방법(생매장)으로 학살했다는 유력한 증거다. 나중에 법의학자들이 이 구덩이에서 수천이 넘는 유해를 발굴해 조사한 결과로 추정한 것이다. 집단 생매장은 분명 일본군이 집단학살에서 사용하던 방법 중 하나였다. 더욱이 단지 한 번만 사용했던 방법도 아니었다.

　이렇게 일본군은 난징에서 다양한 방법으로 중국인을 집단학살했다. 지극히 잔인하고 야만적인 방법으로 말이다. 방법이 다양할수록 죽음은 참혹했다. 세계 역사상 보기 드문 일이었다. 일본군은 언제 어디서든 제멋대로 총을 쏘아 중국인을 죽였다. 또한 아무 죄도 없는 민간인을 대상으로 목을 베고, 머리를 가르며, 배를 찌르고, 심장을 파며, 물에 빠트리고, 불태우며, 생식기를 자르고, 사지를 절단하고, 음부나 항문을 찌르는 등 인성이 말살된 방법으로 살해했다. 세상의 모든 살인광이 생각해낼 수 있는 가장 잔혹한 방법으로 아마 거의 모든 방법을 사용한 것 같다. 난징이 함락된 후 6주 동안 매일 수천수만 명의 중국인이 살해되었다. 이는 분명 전대미문의 잔인한 기록일 것이다.

　그러나 이 중에도 가장 잔인하고 놀라운 것은 일본군이 벌인 목 베기 시합이다. 여기에서 내가 이야기하고 싶은 목 베기 시합은 가장 놀라운 사건이다. 이 사건은 「일본광선보(Japan Advertizer)」에 대서특필된 내용이다.[10] 사건 내용은 다음과 같다.

_____

10) 팀 페리(Tim perry)가 쓴 『중국에서 일본군이 저지른 폭행 기록』을 참조(영문 원서로 중국어 번역본은 없다).

난징이 일본에 점령된 뒤 시내는 살인 광기로 가득 찼다. 두 일본 장교는 갑자기 목 베기 시합을 하나의 게임으로 생각해냈다. 가장 빠른 시간에 누가 더 많은 중국인을 죽이느냐로 승부를 가리고 살해방법은 칼을 사용해 장작을 패듯 가르기로 했다. 중국 남부지방 아이들이 하는 사탕수수 자르기 놀이처럼 말이다. 시합의 규칙이 정해지자 이 두 야수 같은 장교는 각자 예리한 칼을 들고 길을 나누어 걸었다. 중국인을 만나면 남녀노소를 가리지 않고 칼로 베어버렸다. 두 사람이 살해한 중국인의 수가 백 명이 되었을 때 약속한 높은 봉우리에 올라 동쪽을 향해 일본 천황에 절을 올렸다. 또한 자신들의 보검을 향해 승리를 축하했다.

　그 후 한 명은 다섯 명을 더 죽이고 다른 한 명은 여섯 명을 더 죽였다. 이로써 106명의 중국인을 죽인 자가 목 베기 시합의 '승리자'로 대서특필되었다.

　천인공노할 죄행이 「일본광선보」에 보도된 뒤 일본정부, 일본최고사령부, 일본사령관장은 어떠한 질책이나 제재를 하지 않았다. 오히려 그들이 국위 선양했다고 여겼다.

　도저히 참을 수 없다! 중국인은 중국공산당의 지도 아래 당당히 일어났다. 또한 타인에게 선을 행한다는 정신을 실현하여 일본과 중일협정을 맺었다. 그러나 일본 군국주의자들이 우리에게 빚진 핏값을 어찌 그 후손에게 말하지 않을 수 있을까? 어찌 잊을 수 있겠는가?

　5. 일본군이 난징에서 벌인 죄행은 마구잡이로 중국인을 학살한 것 외에도 언제 어디서든 여성들을 강간한 일

이다. 일본군의 죄행 중 강간은 가장 많이 일어났고 비참했으며 세계에서 보기 힘들 정도로 잔인했다. 이로 인해 세계 여론이 떠들썩했고 '난징학살사건'이라고 하는 사람이 있는가 하면 '난징강간사건'이라고 말하는 사람도 있었다. 사실 일본군에게 있어서 강간과 살인은 다르지 않다. 왜냐하면 이들은 여성을 강간한 뒤에 대부분 죽였기 때문이다(심지어 그 일가족까지 살해했다).[11]

---

11) 강간한 뒤 살해는 일본군의 규칙이 되어 버렸다. 국제검사국은 극동법정에 무수히 많은 증거를 제출했는데 그 가운데 하나는 일본군이 사령관에게 보낸 비밀문건이었다. 거기에는 병사들이 귀국한 뒤 중국에서 저지른 만행을 말하지 못하게 하라는 내용이 있었다. "병사들은 그들이 중국군이나 중국의 민간인을 상대로 벌인 잔인한 행위를 이야기하는 것은 옳지 못하다." 그중 자주 했던 이야기는 이렇다. "어떤 중대장이 병사들에게 강간에 대해 다음과 같은 지시를 내렸다. '여러 가지 문제를 피하고 싶으면 돈을 주거나 일을 마친 뒤 죽여버려라'라고 말이다." 재물을 좋아하는 일본군에게 돈을 준다는 건 빈말일 뿐 사실은 일을 마친 뒤 죽이라는 것이 본뜻이다. 또 이런 내용도 있다.
"만일 전쟁에 참가한 모든 군인을 하나하나 조사해보면 전부 사람을 죽였거나 강간했거나 재물을 약탈한 범죄자일 것이다."
"전쟁 때 가장 좋아하는 일이 바로 재물을 약탈하는 것이다. 심지어 어떤 병사는 장교를 봐도 못 본 척하고 재물을 쓸어 담았다."
"어떤 곳에서 네 식구를 사로잡았는데 그 집 딸을 마치 기생 대하듯 데리고 놀았다. 부모가 딸을 돌려달라고 하자 그들을 모두 죽여버렸다. 딸만 남겨 계속 데리고 놀다가 떠날 때 딸도 죽였다."
"대략 바년 간 치른 전쟁에서 기억나는 건 강간과 약탈 같은 일뿐이었다."
"전쟁지에서 우리가 약탈한 건 상상을 초월한다."
이는 일본 군지휘부가 일본군 폭행에 대한 '자백'이다. 비록 귀국병사들의 입단속에 대한 명령이었지만 이런 일이 일어났

극동국제법정의 판결문을 보면 다음과 같다.

"강간사건이 가장 많다. 피해자 혹은 피해자를 보호하려는 가족이 조금이라도 반항하면 바로 죽여버리는 것은 일본군의 규칙이 돼버렸다……. 이런 강간사건에는 변태적이고 잔인한 사례가 많다. 수많은 여성들이 강간당한 뒤 피살되었고 일본군은 죽은 여성의 시체를 절단하기도 했다."

법정은 강간 및 강간 후 살해와 관련된 무수히 많은 증거를 받아들였다. 가령, 띵(丁)씨 성을 가진 어린 소녀는 13명의 일본군에게 윤간을 당한 뒤 살려달라고 외치자 현장에서 배가 갈려 죽었다. 난징의 한 시민 야오쟈롱(姚加隆)은 가족을 데리고 잔롱치아오(斬龍橋)로 피난을 갔는데 거기서 아내가 강간을 당했다. 8살 된 아들과 3살 난 딸이 엄마의 시체 곁에서 울자 짐승 같은 일본군은 아이들의 항문에 총검을 꽂고 방아쇠를 당겼다. 고희(古稀)에 가까운 노부인 시에산전(謝善真)은 동웨미아오에서 강간당한 뒤 살해되었다. 일본군은 재미삼아 그녀의 회음부에 대나무를 끼웠다. 민간인 여성 타오(陶) 씨는 일본군에게 강간당한 뒤 배가 갈리고 사지가 잘린 뒤 불에 던져졌다. 이런 잔인

다는 객관적인 존재도 부정하지 않았다. 이 최고 기밀에 해당하는 내부문건은 극동국제법정에서 매우 중요한 증거라고 평가받았다.

하기 그지없는 폭행은 일본이 난징을 점령한 지 대략 2달(1938년 2월 초순부터 상황이 나아졌다) 동안 매일 수백 건이 발생되어 총 수천 건에 달했다.

이로 인해 국제법정은 다음과 같이 판단했다.

"점령 후 첫 번째 달에 난징 시내에서 발생한 강간사건은 약 2만 건이다."
"난징 시내에서 소녀건 노인이건 가리지 않고 여성을 대상으로 수많은 강간 사건이 발생했다."

법정의 이러한 판단과 수치는 전부 법정에 제출된 정확한 근거를 통해 신중하게 내려진 것이다. 절대 과장되지 않았다. 사실 당시 실제 상황은 이보다 더 심각했다.

6. 누군가 이렇게 말했다. "일본군은 독실한 불교 신자라 절에 숨으면 화를 면할 수 있을 것이다"라고 말이다. 그러나 많은 사실이 이 말이 헛소리임을 증명해주었다. 난징의 수많은 사찰이 일본군에 의해 불탔고 승려와 비구니는 살해되거나 강간당하거나 또 강간당한 뒤 살해되는 일이 많았다. 승려와 비구니의 비참한 운명은 민간인보다 더 심했다. 유명한 승려 롱징(隆敏), 롱후이(隆慧), 비구니 전싱(貞行), 덩까오(燈高), 덩위안(燈元)은 일본군이 난징 시내로 들어온 첫째 날에 살해당했다. 일본군은 재미삼아 승려를 농락해 죽였는데 그 방법은 이렇다. 일본군은 소녀를

잡아 강간한 뒤 지나가는 승려가 있으면, 또는 사로잡은 승려에게 계속해서 소녀를 강간하게 했다. 만일 반항한다면 승려의 생식기를 잘라 죽였다.

이로 보아 알 수 있듯이 일본군이 독실한 불교 신자라는 말은 순 헛소리고 불교사찰은 전혀 안전하지 않았다. 불교사찰뿐 아니라 국제난민위원회에서 설립한 국제안전구역으로 피난 간 중국인도 일본군의 마수에서 벗어날 수 없었다. '안전구역'은 사실상 '안전'하지 못했다. 극동국제법정 재판 때 당시 실제로 안전구역에서 일했던 사람들이 법정에 나와 증언했던 기억이 있다. 내 기억에 의하면 그들은 증언하기 전에 선서를 했고 또 수많은 증거가 이들의 말을 뒷받침해주었다. 그 내용은 다음과 같다.

"난징이 함락되고 얼마 후 일본군이 국제안전구역으로 와 안전구역에 수용된 난민을 검열했습니다. 일본군은 항일 혐의가 있거나 군대에 다녀왔거나 병역 연령에 적합한 청년 남자(대부분 노동자, 학생, 점원)를 끌고 갔습니다. 이들을 묶고는 집단학살을 하여 강물에 시체를 버리거나 불태우거나 만인갱이나 천인총 안에 생매장시켰습니다."

안전구역이 존재했던 기간 내내(대략 두 달로 1938년 2월 초에 폐쇄했다) 일본군은 수차례 난민을 색출했다. 그리고 수많은 소녀들을 위안부로 데려가 성적 노리개로 이용했다.

이처럼 국제안전구역에서 보호하는 대상은 노약자나 어린이뿐이었다. 사실 노약자나 어린이도 온전히 보호를 받은 것은 아니다. 일본군은 야심한 밤에 삼삼오오 짝을 지어 안전구역으로 들어와 노소를 가리지 않고 강간을 하거나 재물을 빼앗아 주머니를 채워갔다. 안전구역은 철통 같은 담벼락도 무장경비도 없었다. 그곳에서 근무하는 외국인들은 일본군의 만행에 기어드는 목소리로 권고할 뿐이었다.[12]

---

12) 극동법정에 증인으로 출석한 국제안전구역 서양인 직원의 말에 의하면, 그들은 일본군에게 권고·중재·거래를 했고 또 신문기자를 통해 세계 여론에 일본군의 만행을 알렸다고 한다. 또한 이들의 만행을 모두 비망록에 적어 외교 루트를 통해 일본 당국에 하루에 두 차례 항의문건을 보냈다고 했다. 그러나 일본당국은 이를 무시하고 답을 주지 않았고 일본군은 전과 다름없이 계속 만행을 저질렀다. 법정에서 마쓰이 이와네에게 심문했다.
"이 비망록을 봤습니까?"
"봤습니다."
"어떤 조치를 취했습니까?"
"어떤 사당 문 앞에 군기를 정돈하라는 게시문을 붙였습니다."
"넓은 난징 시내에 도처에서 사람을 죽여 매일같이 수천수만 명의 중국인이 도살되고 강간당했는데, 당신은 그 종이 한 장으로 무슨 효과가 있을 거라 생각했습니까?"
마쓰이 이와네는 아연실색하여 잠시 대답하지 못하다 다시 말을 이었다.
"제가 질서유지를 위해 헌병도 보냈습니다."
"몇 명을 보냈습니까?"
"확실히 기억나지는 않습니다만 약 수십 명을 보낸 것 같습니다."
"수만 일본군이 도처에서 미친 듯이 살인하고 방화하고 강간하고 약탈하는 상황에서 수십 명의 헌병으로 전부 통제할

여기에서 내가 가장 분명하게 기억하는 사람은 법정에 증인으로 출석한 서양인 목사였다. 그 역시 안전구역의 주요 책임자 중 하나였다.

"어느 날 밤, 한 일본군이 세 번이나 우리 집을 염탐했다. 그 목적은 우리 집에 숨어 있는 여학생을 강간하고 재물을 훔치기 위해서였다. 매번 내가 소리를 치면 꽁무니가 빠지게 도망갔다가도 또다시 와서 값나가는 물건을 훔쳐갔다. 그의 탐욕을 채워주기 위해 마지막으로 나는 아예 그의 주머니 속에 60위안을 넣어주었다. 예상치 못한 돈이 생기자 일본군은 만족하고 감격해하며 뒷문으로 바람처럼 도망갔다."

수 있을 거라 생각했습니까?"

마쓰이 이와네는 잠시 생각한 뒤 낮은 목소리로 말했다.

"제 생각에는 될 줄 알았습니다."

이때 법정에 또 다른 증인이 소환되었다. 이 증인은 자신이 직접 목격한 사실에 의하면 난징 시내의 헌병은 단 17명뿐이라 했다. 17명의 이른바 '헌병'이라고 불리는 일본군은 어떤 폭행도 제지하지 않았고 오히려 폭행에 스스로 가담했다. 특히 재물을 약탈했는데 일본군이 빼앗은 재물을 다시 빼앗아갔다고 한다. 이 증인 앞에서 마쓰이 이와네는 난처한 모습으로 얼굴을 들지 못했다. 그러나 현장에 있던 법관들과 청중들은 모두 이 최고통솔자 마쓰이 이와네 장군이 난징에서 내린 군기를 정돈하라는 명령이 원래 이런 일이었음을 분명히 알게 되었다.

이렇게 규율이 엄격하기로 천하에 비할 자가 없다고 외치는 대일본 황제의 군사들은 사람을 죽이고 방화를 저지르며 강간하고 약탈했다. 하다 하다 좀도둑이나 소매치기 같은 행태까지 벌인 것이다.

극동국제법정에서는 약 20일 동안 난징대학살 관련 사건을 재판했다. 재판장의 분위기는 엄숙했고 무거웠다. 이 늙은 목사가 이야기를 마치자 법관들과 방청석의 관중들은(모든 법정에 천 명 이상의 일본인이 방청석에 앉아 있었다) 모두 실소를 금치 못했다. 피고석에 앉은 전범들(특히 마쓰이 이와네)은 난색을 표하며 웃지도 울지도 못했다.

이른바 국제안전구역, 심지어 국제 인사들의 집에서도 이런 상황이었는데 난징 시내 전체의 크고 작은 골목에서는 어떠했겠는가? 중국인의 생명과 재산을 얼마나 야만적으로 망가트렸는지 가히 짐작할 수 있을 것이다.[13]

---

13) 본문에서는 일본군이 난징에서 중국인을 상대로 벌인 각종 기괴한 학살과 강간을 주로 다루고 있다. 학살과 강간은 직접적으로 중국인의 생명을 해치는 일이다. 물론 방화와 약탈도 중국인의 재산을 해치는 일이나 본문에서는 많이 언급하지 않았다. 그러나 이것이 일본군이 저지른 방화와 약탈이 학살과 강간에 비해 결코 가볍고 보편적인 일이라는 의미가 아니다. 여기에서 나는 극동국제법정 판결문에 적힌 말을 인용해 정리하겠다.
"일본군은 민간인에게 그들이 원하는 모든 물건을 빼앗았다. 목격자의 진술에 의하면 일본군은 길거리에서 아무것도 가지고 있지 않은 민간인의 몸을 수색했다고 한다. 값나가는 물건이 없으면 총살시켰다. 무수히 많은 주택과 상점이 약탈당했다. 일본군은 약탈한 재물을 트럭에 실어갔다. 그리고 약탈한 뒤에는 점포며 창고며 모두 불태웠다. 가장 중요한 상점들은 타이핑루에 즐비했는데 이곳도 모두 불태웠다. 뿐만 아니라 시내에 있는 모든 번화가는 한 곳씩 불타 없어졌다. 일본군은 아무 이유 없이 민간인의 주택을 불태웠다. 이런 방화사건이 6주 동안 이어지면서 도시 전체가 망가져버렸다."

7. 극동국제법정에서 난징대학살 사건을 재판하는 중에 상당히 중요한 증거가 접수되었다. 그것은 독일 나치가 난징 대사관에 주둔하며 독일 외교부에 보낸 기밀전보로 독일이 투항한 뒤 연합군이 독일 외교부 기밀안건창고에서 발견한 것이다. 법관들을 모두 이 전보를 중요한 증거로 보았다. 왜냐하면 이것이 파시즘 진영 내부에서 온 것으로 일본의 동맹국에서 제공한 것이기 때문이다. 전보의 내용은 일본군이 난징에서 저지른 수많은 학살, 강간, 방화, 약탈의 정황을 묘사했다. 그리고 마지막에 이런 내용을 적었다.

"죄인은 이 일본군도 혹은 저 일본군도 아니다. 모든 일본군이 바로 죄인이다……. 그것은 마치 막 작동하기 시작한 '야수기계' 같았다."

이 '야수기계'는 일본군 장교의 종용 아래 빠른 속도로 작동하여 6주간 수많은 중국인을 죽였다는 결과를 만들

이같은 판결문의 묘사는 전부 무수히 많은, 신뢰할 만한 증거를 바탕으로 작성된 것으로 조금의 과장도 없다. 나는 또 한 명의 증언이 생각난다.

"마쓰이 이와네 대장이 깃발을 휘날리고 앞뒤로 호위를 받으며 위풍당당하게 말에 올라 난징의 입성식과 위령제를 치르던 그날, 난징 시내에는 도처에 시체가 널려 있었고 악취가 하늘을 덮었다. 14곳에서 불길이 활활 타올랐지만 이 일본군 통솔자는 아무것도 본 못 척, 모르는 척했다. 그 어떤 제지도 하지 않고 장장 6주 동안 이런 상황이 반복되게 만들었다."

어낸 것이다. 그러나 얼마나 많은 사람이 죽었는지는 정확한 통계자료가 부족해 의견이 분분했다. 극동국제법정 판결문을 보면, "일본군이 난징을 점령하고 6주가 지난 뒤 난징과 난징의 근교에서 학살된 민간인과 포로의 수는 20만 명 이상에 달한다"라고 했다. 이런 수치는 결코 과장된 게 아니다. 이는 매장된 시체가 25만 명에 달한다는 사실을 증명한다(정확하게 말하면 적십자에서 묻은 시체가 43,073명이고 총산당(崇善堂)에서 묻은 시체가 112,266명이다. 이 수치는 두 구호단체의 책임자가 각 단체의 기록과 문서에 근거해 극동국제법정에 제출한 것이다).

극동국제법정은 이 수치를 물론 신중하게 받아들였다. 그러나 일본군이 교활한 방법으로 증거를 인멸했다는 점을 생각해야 한다. 법정은 또 판결문을 통해 다음과 같은 내용을 발표했다. "이 숫자는 일본군에 의해 타버린 시체와 강에 버려진, 또 여러 가지 방법으로 피살된 시체들을 포함하지 않았다." 이 말은 매우 중요하다. 우리가 앞서 말한 세 가지 사례로 총 6만 5천 명이 넘는 사람들이 죽었기 때문이다(한중먼 밖에서 총살당한 군인은 3천 명이 넘고 그들의 시체는 불탔다. 중산부두에서 총살된 난민은 5천 명이 넘고 그들의 시체는 강에 던져졌다. 시아관 차오시에시아에서 집단 총살당한 민간인은 5만 7천 4백 명이 넘고 그들의 시체도 불에 타버렸다). 이외에도 찾지 못했거나 더디게 발견되었거나 법정에 늦게 제출된 증거들은 또 적지 않다. 이런 피해자들의 수를 십만 이상으로 계산해도 적은 셈이다. 중국은 희생자의 수를 19만 명이 넘게 추산했는데 결코 고의적으로 과장했다 할 수 없다(다니 히사오 재판의 판결문에도 이 숫자에 동의했다).

이외에도 생각해보아야 할 것이 있다. 극동국제법정에서 피해자의 수를 20만 명 이상으로 계산했지만 일본군이 태워버린 대량의 피해자의 시체는 포함하지 않았다는 점이다. 아울러 일본이 점령한 뒤 6주 내의 수치만을 계산했다. 이 6주간 일본군의 학살이 최고조에 달했다고 하나 그 후에도 일본군의 만행은 여전히 이어졌기 때문이다. 단지 대규모로 학살하거나 아무 이유 없이 사람을 죽이는 일은 줄었지만 여전히 개별적으로 혹은 소규모로 학살은 계속되었다. 극동법정에서 계산한 수치는 바로 이런 부분을 포함하고 있지 않다.

이상에서 열거한 각종 요소들을 고려해봤을 때 일본군 점령시기 난징에서 학살된 무고한 중국인의 수는 30에서 40만 명 사이로, 즉 35만 명 정도로 추정할 수 있다. 이는 객관적인 사실에 부합하는 계산으로 누구도 정확한 계산을 할 수는 없을 것이다. 아울러 극동국제법정에서 판단한 숫자와 조금도 어긋나지 않는다.

이 35만 명의 억울한 영혼들에게 일본 내각은 막중한 책임이 있다. 만일 그들이 일부러 묵인하고 내버려두지 않았다면 사건이 발생된 6주간 언제라도 제지할 수 있었을 것이다. 더 근본적으로 말하자면 일본정부가 침략전쟁을 일으키지 않았다면 이런 대학살과 폭행은 애초부터 발생하지 않았다. 이로 인해 법정은 다음과 같이 판단했다. "침략은 인류의 가장 큰 죄행이다. 모든 전쟁 범죄의 근원이 바로 침략에 있다." 정말 맞는 말이다.

그러나 난징대학살의 가장 큰 책임은 마쓰이 이와네에게 있다. 그는 당시 일본의 중지나방면군의 사령관이자 난징함락의 최고통솔자였다. 그가 부하들을 고의적으로 종용하지만 않았어도 난징대학살은 일어나지 않았다. 설령 일어났다 해도 분명 실제보다 더 작은 규모, 더 적은 횟수, 더 짧은 시간이었을 것이다. 따라서 극동국제법정의 판결대로 마쓰이 이와네는 분명 난징대학살 사건의 주범이자 원흉이다.

이 극악무도하고 무책임한 일본군에게 극동국제법정은 교수형을 결정했고 이는 정의에 부합하는 판결이다. 중국인에게도 그런대로 만족할 만한 판결이다. 물론 마쓰이 이와네 한 명에게 내려진 교수형으로 중국역사에서 보기 드문 재앙을 잊어버릴 수는 없다. 반대로 우리와 우리의 자손들은 일본 제국주의자가 중국을 침략해 벌인 천인공노할 범죄를 반드시 기억하고 그 속에서 교훈을 얻어야 할 것이다.

원저자 저우얼푸(周而複)

前 문화부 부부장(副部長, 차관)이자 저명한 작가로서 활발히 활동하였다. 병으로 인해 2004년 1월 8일 베이징에서 향년 90세로 작고하였다.

그림 주전겅(朱振庚)

화중(華中)사범대학미술과 교수로 대표작으로는 짙은 시대적 분위기를 잘 그려내어 제6회 중국미술작품전시회에서 호평을 받은 그림이야기책(連環畵)『쟝비에티엔야(牡別天涯)』가 있다. 이 작품을 통해 1986년 제3회 중국그림이야기책어워드에서 수상한 바 있으며 제6~8차 중국미술작품전시회에서 입선하였다. 2012년 2월 향년 74세로 별세하였다.

각색 따루(大魯) 황뤄구(黃若谷)

작품활동 가운데『교통역 이야기(交通站的故事)』는 제1차 중국연환화어워드 문학각본 3등,『바이마오뉘(白毛女)』는 제2차 중국그림이야기책어워드 문학각본 2등을 수상하는 영예를 안았다. 이 외 각본작품들로는『천징룬(陳景潤)』,『이사광(李四光)』,『중국고대 4대 발명』,『외국과학자』,『감진화상(鑒眞和尙)』,『당백호(唐伯虎)』,『8대 산인(八大山人)』,『난정전기(蘭亭傳奇)』 등 다수가 있다.

번역 김숙향(金淑香)

　중국어 번역 전문프리랜서로 한국 고려대학교에서 석사과정을 마친 뒤 중국 상해 복단대학에서 중국문학으로 박사학위를 받았다. 현재 중국 문학과 문화에 관심을 가지고 모교를 비롯한 여러 대학에서 강의를 하면서 연구와 번역을 병행하고 있다. 지금까지 번역 출판된 책으로는 『대여행가』, 『명장』, 『제왕』, 『맹자 지혜』 등 다수가 있다.